D0307884

Argraffiad cyntaf: Tachwedd 1989
ⓗ Y Lolfa 1989

Mae hawlfraint ar gynnwys y llyfr hwn ac mae'n anghyfreithlon i atgynhyrchu neu ddefnyddio unrhyw ran neu rannau ohono mewn unrhyw fodd (ar wahân i bwrpas adolygu) heb ganiatâd ysgrifenedig y cyhoeddwyr ymlaen llaw.

Rhif Llyfr Safonol Rhyngwladol:
0 86243 196 4

Clawr: Marian Delyth

Argraffwyd a chyhoeddwyd yng Nghymru
gan Y Lolfa Cyf., Talybont, Ceredigion SY24 5HE
ffôn: Talybont (097086) 304.

FORY DDAW

· Shoned Wyn Jones ·

Er cof am Mam

Pennod 1

"Pwy daflodd y papur yna?"

Trodd pob llygaid yn y dosbarth i edrych ar Mari Watcyn, ac yna'n ôl ar Mr Parri.

"Dewch yma, Mari."

Cododd Mari'n hamddenol o'i sedd a cherddodd yn osgeiddig at ddesg yr athro ifanc.

"Chi daflodd y papur yna, yntê?"

"Naci, syr."

"Wel pam oedd pawb yn edrych arnoch chi, felly?"

"Wn i ddim, syr."

Roedd ei llais yn swnio'n uchel a diniwed, ei llygaid gwyrdd tywyll yn edrych i fyw ei lygaid ef.

"Wel, ydy pobol yn arfer edrych arnoch chi a chitha heb wneud dim?"

"Ydyn weithia' syr. Dynion yn enwedig."

Torrodd y dosbarth allan i chwerthin yn aflafar a throdd Mari atynt â gwên lydan ar ei hwyneb.

"Ewch i eistedd i lawr; fe'ch gwelaf ar ddiwedd y wers."

Cerddodd Mari yn ôl i'w sedd, yn ymwybodol o symudiad ei phen ôl a'i choesau hirion. Cliriodd Mr Parri ei wddf.

"Reit dosbarth pedwar. Trowch i dudalen chwe deg naw ac edrychwch ar y problemau yn ymarfer tri. *'If a train travels at exactly. . .'*

Rhythodd Mari arno. Nid edrychodd ar ei llyfr o

gwbl. Gwyddai na ddywedai air wrthi eto yn ystod y wers gan ei bod wedi llwyddo i wneud iddo edrych yn ffŵl o flaen y dosbarth.

Ymhen deg munud a dwy broblem arall safai Mari o flaen y ddesg unwaith eto.

"Pam, Mari?"

"Pam beth, syr?"

"Pam mae'n rhaid i chi ymddwyn fel gwnewch chi?"

"Ond wnes i ond deud y gwir, syr."

"Rydych chi'n gwybod yn iawn beth ydw i'n feddwl. Pam mae'n rhaid i chi amharu ar y wers Fathemateg o hyd ac o hyd? Ydy'r gwaith yn rhy anodd i chi?"

"Nac ydy, syr. Mae o'n hawdd. Rhy hawdd."

"Wel bydd rhaid i mi roi mwy o waith i chi felly, yn bydd?"

"Wn i ddim, syr. Ond falle gallech chi roi problemau anoddach i mi eu datrys."

Edrychodd Alun Parri arni a gwelodd olwg gellweirus ar ei hwyneb. Roedd ei gwefusau'n sgleinio a rhedodd ei thafod dros flaen ei dannedd uchaf. Gwenodd arno. Teimlodd ryw gynhyrfiad yng ngwaelodion ei fol.

"Ym. . . mi gawn ni weld. Ewch adre rwan a thriwch fyhafio o hyn ymlaen."

Cafodd y teimlad ei bod yn chwerthin am ei ben wrth iddi fynd allan. Damia hi. Yr oedd hi wedi llwyddo i'w gynhyrfu unwaith eto.

Daeth Mari allan o'r ystafell yn wên i gyd. Safai Catrin yn y coridor yn disgwyl amdani.

"Wel, gefaist ti ffrae?"

"Naddo siŵr."

"Pam 'siŵr'?"

"Wel ti'n gwybod yr effaith dw i'n 'i gael arno. Mae'n siwr 'i fod o'n sownd yn ei sêt rwan yn chwarae hefo'i hun!"

"O, Mari, dwyt ti ddim ffit!"

Anelodd y ddwy, fraich ym mraich am y drws dan chwerthin.

Yr hynaf o bedwar o blant oedd Mari, a dim ond un mlynedd ar bymtheg oedd rhyngddi hi a'i mam. Nid adnabu ei thad erioed, a thybiai erbyn hyn mai prin fu adnabyddiaeth ei mam ohono hefyd. Yn ei feddwdod, edliwiai Eddie, tad yr ieuengaf o'r plant, bod ei mam yn trin dynion fel ci'n cnoi asgwrn. Ei lowcio'n farus ac yna edrych ymlaen at y nesaf. Ar adegau fel yna byddai ei mam yn lluchio'r peth agosaf at law ato ac yna'i ddyrnu'n ddidrugaredd, yntau wedyn yn ei tharo'n ôl, hithau'n crio ac yn dweud ar ei llw mai ef oedd ei gwir gariad. Cofiai Mari hi'n dweud yr union eiriau wrth dad yr efeilliaid.

Er mor ifanc oedd ei mam, roedd golwg hagr, hen arni. Ei gwallt wedi ei lifo'n felyn gyda'r lliw brown gwreiddiol yn ymladd i ddangos ei hun yn y gwreiddiau. Arferai ei chorff fod yn eithaf siapus ond erbyn hyn gorweddai bloneg sefydlog o gwmpas ei chanol ac ysai ei bronnau helaeth am gael neidio allan o'r flows wddf isel a wisgai. Weithiau, pan fyddai Eddie yn dyner tuag ati, neu pan fyddai ei chwant yn gryf, plymiai ei law i ddyfnderoedd y cnawd meddal gan rwbio a gwasgu'n dynn fel ffermwr yn teimlo pwrs buwch. Byddai Mari'n troi i ffwrdd mewn atgasedd, ei mam a'r plant bach yn chwerthin ac Eddie mewn byd pell i ffwrdd.

Un wael oedd ei mam am gadw tŷ. Gwell oedd ganddi eistedd yn smocio drwy'r dydd a thorri ar yr undonedd wrth edrych ar y teledu neu hel tai am sgwrs a phaned. Chwaraeai'r babi o gwmpas ei thraed, ei drwyn yn rhedeg yn gymysg ag olion bisgedi a llefrith ar ei wyneb. Deuai Eddie i'r tŷ tua chwarter wedi tri, yr efeilliaid wrth ei gwt. O'r ysgol babanod i lawr y ffordd y deuai'r ddau fach, ac yntau o'r Llew Du, o ganol y mwg sigarets a rasus ceffylau. Wedi cyrraedd adref disgynnai Eddie'n swp ar y soffa i rochian cysgu, yr efeilliaid yn sodro eu hunain o flaen y teledu, a phawb yn disgwyl am Mari. Weithiau byddai ei mam wedi dechrau gwneud te, wedi rhoi'r sosban tsips ar y tân a dechrau plicio tatws. Gwaith Mari bryd hynny fyddai gosod y bwrdd, ar ôl golchi llestri brecwast a chinio yn gyntaf. Wrth weithio drwy'r llestri breuddwydiai Mari yn aml am amser pell yn ôl pan oedd ei mam a hithau'n byw eu hunain. Doedd dim sôn am dad yr efeilliaid bryd hynny, nac am Eddie, a chofiai Mari am awyrgylch gynnes glòs, ond buan iawn y blinasai ei mam ar y sefyllfa.

Ar ôl te byddai'n tacluso ychydig ar y tŷ, golchi'r plant yn barod i fynd i'w gwelyau, ac yn aml iawn, golchi ychydig o ddillad pan fyddai ei mam yn mynd i'r Bingo. Cymerai unrhyw waith cartref ail le i'r tasgau dirifedi.

"Lle uffar' ti 'di bod?"

"Gorfod aros ar ôl ysgol i helpu Miss Huws."

"Blydi tîtsiars. Ma' 'na ddigon o waith i ti 'neud adra'."

Gwyddai Mari fod Eddie wedi cael boliad iawn o gwrw.

"Lle ma' mam?"

"Wedi mynd i'r siop tsips. Y blydi plant ma'n gweiddi isio bwyd a dy fam yn rhy ddiog i' blydi 'neud o."

"Mi a' i i newid, ta."

"Ia wir, 'lle bod chdi'n dangos dy dîn yn y blydi sgert dynn 'na. Codi ysfa fawr ar ddyn."

Rhedodd Mari i fyny'r grisiau a chloi y drws ar ei

hôl. Pwysodd yn ei erbyn, ei chalon yn curo. Clywodd Eddie yn ymbalfalu i fyny ris wrth ris a thorrodd chwys oer allan dros ei chorff. Ysgwydodd nobyn y drws. O na, dim eto!

"Agor y drws, y bitsh uffar'!"

Curodd ei chalon yn gyflymach.

"Agor, y slwt. Ma' gen i r'wbath yn fan 'ma i ti."

Chwarddodd yn uchel a thorri gwynt yr un pryd.

"Dyma fi'n ôl. Dowch i gael y'ch te!"

Llais ei mam yn swnio'n fwynach na dim ar y ddaear.

"Y blydi sguthan 'di cyrraedd."

Traed yn ymbalfalu i lawr y grisiau y tro yma.

"Mari, 't'isio tsips?"

"Na, dim diolch, mam. Dwi'm yn dda. Mi a i'n syth i 'ngwely."

"Plesia dy hun, 'ta!"

Clep ar y drws. Llais uchel ei mam yn ffraeo'r efeilliaid am hel eu dwylo yn y bwyd. Sgrechian y babi. Gwegian y soffa wrth i Eddie luchio'i hun arni a phlatiaid o tsips o'i flaen. Chwant bwyd wedi trechu chwant y cnawd.

Suddodd Mari i'r llawr ac eisteddodd yno, ei phengliniau'n cyffwrdd ei gên, a'i breichiau wedi eu lapio'n dynn amdanynt. Diolch byth fod y tŷ mor hen a bod cloeau ar y drysau. Caeodd ei llygaid rhag i'r dagrau bygythiol lifo i lawr ei gruddiau. Ceisiodd gau'r darlun o Eddie o'i meddwl, ond methodd. Eddie. Corff bychan, tew, seimllyd. Arogl cwrw a sigarets ar ei wynt bob amser, ei ddwylo chwyslyd a'r bysedd trwchus wedi eu staenio'n frown. Disgynnai cudyn o wallt dros ei dalcen; ni allai holl olew-gwallt y ddaear ei gadw yn ei le. Llifodd ei dagrau, a'r darlun o Eddie yn cael ei olchi'n wyrthiol i ffwrdd. Yn ei le dawnsiai wyneb Alun Parri o flaen ei llygaid. Gwallt tywyll cyrliog a llygaid glas, glas. Ni allai gyfaddef hyd yn oed wrth Catrin gryfder ei theimladau tuag ato. Defnyddiai Mari ei chorff, yr unig beth oedd ganddi yn ei meddwl hi, i'w ddenu tuag ati; er bod ei annidd-igrwydd yntau ynglŷn â'i fflyrtio bwriadol yn ei brifo, gwyddai pa mor aeddfed ydoedd o'i chymharu â merched eraill o'r un oed. Edrychai arnynt drwy gil ei llygaid yn y gawod ar ôl y wers ymarfer corff. Cofiai iddi grio o gywilydd un tro tua dwy flynedd ynghynt, am ei bod yn wahanol. Daeth Miss James ati a holi beth oedd yn bod. Wrth glywed llais tyner yr athrawes, byrlymodd y geiriau allan yn gymysg â'i dagrau a defnyddiodd gongl y lliain i sychu ei hwyneb. Syrthiodd y lliain i'r llawr. Edrychodd yr athrawes arni a dywedodd wrthi am fod yn falch o'i chorff a pheidio â gadael i neb ei ddefnyddio. Bu bron iddi ag adrodd ei hofnau ynglŷn ag Eddie wrth Miss James y diwrnod hwnnw, ond parodd rhyw-beth iddi dynnu'n ôl.

Neidiodd yn sydyn. Tybiai iddi glywed sgrech. Sylweddololodd yn raddol ei bod yn gorwedd tu ôl i'r drws, ei phen yn pwyso yn erbyn y gist wrth y gwely. Nid oedd ganddi deimlad o gwbl yn ei braich a bu rhaid iddi afael yn ei llaw lipa er mwyn codi ei hun ar ei heistedd. Yr oedd pob man yn dywyll. Rhaid ei bod wedi cysgu am oriau. Safodd yn sim-san ac edrychodd ar y cloc. Hanner awr wedi naw. Disgleiriai golau'r lleuad drwy'r ffenestr a rhwbiodd ei llygaid i gynefino â'r golau llwydwyn. Tynnodd ei dillad a'u gadael yn swp ar y llawr. Gwelodd amlinelliad ei chorff yn y drych, ei gwallt coch ton-nog yn disgyn dros ei hysgwyddau. Arferai ei blethu cyn mynd i'w gwely ond yr oedd cwsg yn drech na hi heno. Gwisgodd ei choban a dringodd i mewn rhwng y cynfasau oer. Ymhen munudau yr oedd hi wedi cysgu eto.

Deffrodd i sŵn plentyn ymhell bell i ffwrdd. Wrth iddi frwydro i agor ei llygaid, daeth y sgrechiadau yn nes. Cododd ar ei heistedd a thaflu ei choesau dros ochr y gwely. Agorodd y clo a chroesodd i lofft y plant. Camodd dros y dillad a'r teganau at y crud ac estynnodd Sam i'w breichiau a'i gofleidio. Peidiodd y sgrechian a'r crio.

"Dyna ti. Dyna fo. Mae Mari yma rwan."

Ni wyddai sut y gallai neb gysgu drwy'r holl sŵn, er y profai cyrff llonydd yr efeilliaid yn y gwely dwbl fod hynny'n bosib. Aeth i lawr y grisiau, a Sam erbyn hyn yn gwenu ac yn sgwrsio efo'i hun.

Eisteddai ei mam yn y gegin wrth y bwrdd yn yfed paned a chael smôc. Cododd ei phen. Roedd un llygad iddi wedi cau bron a chwydd du-biws yn ymledu fel cylch o'i chwmpas. Cofiodd Mari am y sgrech a'i deffrodd wrth weld yr olion crio ar wyneb ei mam.

"Mae'r bastard wedi mynd eto!"

"Gwynt teg ar 'i ôl o."

"Ro'n i'n disgwyl r'wbath fel 'na gen ti."

Nid atebodd Mari. Nid oedd hi'n chwilio am ffrae ben bore. Tywalltodd baned iddi ei hun.

"Mi ddaw'n ôl debyg."

"Wn i ddim, a 'di ddiawl o bwys gen i."

Nid dyma'r tro cyntaf i Eddie gymryd y goes. Bob tro y digwyddai rhywbeth na phlesiai mohono byddai'n diflannu am ddiwrnodau lawer ac yna'n dod yn ôl, ei gynffon rhwng ei goesau a dim ond ychydig o arian yn ei boced. Byddai ei mam wedyn fel menyn yn ei ddwylo, ar ôl rhegi a rhefru am ryw bum munud. Diflannai'r ddau i fyny'r grisiau am oriau. Canlyniad digwyddiad o'r fath ydoedd Sam.

Plentyn addfwyn iawn oedd Sam er gwaethaf ei fagwraeth. Cymerai at bobl yn syth a byddai'n berffaith fodlon cael ei ddandlwn drwy'r dydd ar lîn hwn ac arall ar y stryd. Roedd yn debycach o lawer i'w fam nag i'w dad, a diolchai Mari am hynny. Ni chymerai Eddie lawer o sylw ohono, fwy nag y gwnâi o'r efeilliaid. Pan gwynai ei wraig am hyn, edliwiai'n sydyn iawn na pherthynai'r efeilliaid yr un dafn o waed iddo, ac amheuai linach Sam hefyd gan ei fod wedi bod ar un o'i deithiau o amgylch y wlad o gwmpas adeg ei genhedlu.

Trueni gan Mari fyddai dod adref a gweld Sam yn ddu o'i gorun i'w sawdl, ei glwt fel plaster Paris am ei ben ôl, y baw â'r gwlypder wedi hen sychu. Gofalai hi ei hun am olchi ei ddillad, a byddai wrth ei bodd yn rhoi bath iddo cyn ei gario i'w wely yn ogleuo o sebon a phowdwr babi. Edrychai'n ddel iawn yr adeg honno, ei groen yn sgleinio fel swllt, ei ddau lygaid glas yn drwm dan gwsg. Ni ddangosai ei mam unrhyw bleser wrth ei fagu. Ni welid mohoni byth yn mynd ag ef am dro, dim ond ei gario yn ddiseremoni ar ei braich â'i botel yn hongian o'i geg. Nid rhyfedd felly y modd yr estynnai ei ddwylo i gyfeiriad Mari bob tro y gwelai hi.

"Dw 'isio i chdi fynd i siopio bore 'ma. Ma'n dda bod y sglyfath 'na wedi rhoi pres i mi cyn iddo fynd."

"D'ych chi 'isio i mi fynd i 'neud y golchi?"

"Nag oes. Mae'n haws i mi fynd i'r londret nag i siopa efo'r golwg 'ma sy arna i."

"Iawn, ta. Mi a' i ar ôl gwisgo amdana'."

Gwthiodd Mari'r llidiart gyda blaen ei throed a cherddodd yn simsan i fyny'r llwybr. Cyrhaeddodd y drws, sodrodd y bagiau ar y llawr a chanodd y gloch. Agorodd y drws bron yn syth.

"O dyma chdi 'di dwad. Mi ro'n i'n dy ddisgwyl di ers meitin."

"Buo rhaid i mi siopa bore 'ma yn lle g'neud y golchi."

"Wel tyrd i'r tŷ. Mi gawn ni baned bach."

Dilynodd ei nain i'r gegin gefn ar ôl gadael y bagiau yn y cyntedd.

"A lle ma' mei ledi heddiw?"

"Ma' hi 'di mynd i 'neud y golchi. Doedd dim ffit o olwg arni i fynd i'r siopa'."

"O fel 'na ma'i dallt hi."

"Ia. Mae o wedi cymryd y goes eto."

"Gwynt teg ar ei ôl o, dd'weda i."

"Dyna dd'wedais inna' hefyd; ond mi fydd yn ôl mae'n siŵr."

"Bydd, debyg."

Dynes annwyl iawn oedd ei Nain. Anodd credu sut y gallai fod wedi magu merch fel ei mam, er mai ar ei gŵr y rhoddai Esther Watcyn y bai am hynny o beth.

"Roedd Tomos yn llawer rhy gas hefo hi, 'sti. Dim rhyfedd bod yr hogan wedi mynd yn wirion ar ôl iddo farw," oedd ei geiriau.

Ffefryn ei nain oedd Mari. Ni ddeuai Bryn ei mab na'i deulu i edrych am Esther yn aml, felly ni theimlai yn agos at ei ŵyr a'i wyres arall.

"Cannwyll llygaid dy Nain wyt ti, 'mechan i. Wn i ddim be wnawn i hebddot ti."

Mor braf oedd clywed y geiriau a sylweddoli fod rhywun yn ei gwerthfawrogi.

"Dyna ni. Paned bach 'n dwy a ma' gen i dun sa'mon i ni erbyn cinio."

"Wn i ddim os fedra 'i aros, Nain. Ma'r ddynas 'cw fel hurtan bore 'ma; fasa'n ddim ganddi ddod i chwilio amdana' i."

"Wel os daw hi mi gaiff bryd o dafod. Wn i ddim

beth sy'n bod arni, wir, yn gwirioni efo rhyw ddynion byth a beunydd. Ma' pawb yn yr ardal 'ma'n ei chymryd hi'n sbort a finna' i'w chanlyn hi. Ma' nhw'n sibrwd pan fydda' i'n mynd i'r capel. Rwy'n siwr fod ond y dim i'r gweinidog ofyn i mi beidio â mynd i'r oedfa!"

"O, peidiwch â siarad fel 'na, Nain," atebodd Mari wrth glywed y cryndod yn ei llais. "Ma' pawb yn gwybod eich bod chi wedi g'neud ych gora' iddi 'rioed."

"Wn i ddim. Tu ôl i dy gefn di ma' pobol yn siarad, cofia. Mi driais i 'ngora i roi cartre i'r ddwy ohonoch chi pan oeddat ti'n fabi, a finna' yma ar fy mhen fy hun. Ond mynnu bod yn annibynnol wnaeth hi."

"Hidiwch befo. Dowch. Beth am frechdan sa'mon efo ail baned. Dw i bron â llwgu; ac os cyrhaeddith yr hen jadan mi gaiff baned a brechdan efo ni!"

Ffordd lydan droellog a arweiniai at Caerau. Rhaid oedd teithio tua hanner milltir o'r fynedfa cyn cyrraedd at y tŷ. Ar bob ochr i'r ffordd tyfai coed trwchus yn cynnwys rhododendron a flodeuai'n binc tywyll a choch bob blwyddyn. Wrth nesáu at y tŷ gwelid fod y coed yn ei amgylchynu ac yn ffurfio'n goedwig ymhell y tu cefn iddo. Rhyngddo â'r goedwig ymestynnai lawnt berffaith lle meithrinwyd coed rhosod o bob math. Ar y dde safai tŷ gwydr moethus, lle gallai gwesteion eistedd yn gyfforddus yn un pen i wylio'r tenis a chwaraeid ar y cwrt ar y chwith. Yng ngwaelod isaf y lawnt yr oedd pwll pysgod mawr a phont wedi ei hadeiladu drosto yn arwain i'r goedwig.

Pe bai cwmni arwerthwyr Morgan-Puw yn llunio disgrifiad o Caerau, byddai'n swnio'n ddelfrydol. Tŷ teulu o ganol y ddeunawfed ganrif gydag estyniadau Fictorianaidd. Saith ystafell wely gydag ystafell ymolchi ynghlwm wrth bedair ohonynt; lolfa; ystafell fyw; ystafell frecwast; ystafell fwyta; llyfrgell; cegin foethus; derbynfa; dwy ystafell ymolchi a chyntedd bendigedig gyda grisiau dwbl yn arwain i'r ail lawr. Yn y gegin roedd drws yn arwain i'r seleri lle cedwid gwin a niferoedd o betheuach nas defnyddid. Gerddi aeddfed wedi eu gosod mewn pedair erw o dir. O'r tu allan edrychai'r tŷ carreg gyda'i ffenestri mawr yn ddeniadol iawn.

Safai Dafydd Morgan-Puw ynghanol y cyntedd yn edrych o'i gwmpas. Ni flinai ar ryfeddu at ysblander ei gartref. Rhaid oedd cyfaddef fod Denise wedi llwyddo i greu naws y gorffennol wrth ei ddodrefnu. Edrychai pob celficyn yn hollol gartrefol mewn amgylchedd moethus o liwiau pastel a phlanhigion ffres, iach. Sefyll allan yn hytrach na thoddi i mewn i'r cefndir a wnâi Dafydd, gyda'i gorff cyhyrog tal, gwallt golau a llygaid tywyll. Gwirionodd Denise arno o'r funud y gwelodd ef yn nawns uchel-ael y coleg meddygol a'r un oedd ei theimladau tuag ato yn awr, gwaetha'r modd.

Cododd Dafydd ei ben yn sydyn wrth glywed chwerthiniad bywiog yn dod o gyfeiriad y lolfa. Drwy'r drws agored gwelai ei wraig a Lisa, ei ffrind gorau hi, yn camu i mewn drwy'r ffenestr Ffrengig.

"Mae hi mor hyfryd cael aros yma am benwythnos, Denise, yn enwedig â'r tywydd mor fendigedig."

"Trueni na allai Howard fod wedi dod gyda ti."

"Gwaith, cariad. Mi wyddost ti na all Howard adael y busnes yn nwylo neb am fwy nag awr neu ddwy."

Cerddodd Dafydd i'r ystafell i ymuno â hwy.

"O Dafydd! Wyddwn i ddim dy fod di yma."
"Newydd gyrraedd yn ôl, Denise. Lisa, mor braf dy weld di eto!"
Camodd tuag ati gan estyn ei ddwylo allan a'i chusanu ar ei grudd.
Wrth deimlo ei freichiau amdani, ymfalchïodd Lisa yn y ffaith ei bod yn edrych yn ddeniadol. Gwyddai fod y ffrog Laurel goch gyda'r cefn isel a'i gwaelod yn meinhau yn gweddu'n dda iddi; y lliw haul euraid a'i gwallt du yn ychwanegu at yr effaith rywiol.
"D'wedodd Denise na fyddet ti'n ôl tan tua thri," meddai wrth gamu o'i freichiau.
"Cwsmer yn gohirio cyfarfod, a chan ei bod yn bnawn Gwener a gwestai mor ddifyr yn aros amdana' i, gorffen yn fuan."
Chwarddodd Lisa ac eisteddodd ar y soffa gyferbyn â Dafydd. Ni allai lai na sylwi ar ei edrychiad wrth iddi groesi'i choesau, a'r gadwyn aur am ei ffêr yn sgleinio yng ngolau'r haul.
"Mi a' i i ddweud wrth Mrs Williams dy fod di yma i ginio, felly."
"Iawn, Denise. Mi gymra' innau a Lisa lymaid bach cyn gwledda."
Teimlai Denise yn ddig tuag ati ei hun wrth gerdded ar draws y cyntedd i'r gegin. Roedd ganddi feddwl mawr o Lisa—y ddwy yn ffrindiau ers dyddiau ysgol—ond llwyddai bob amser i wneud iddi hithau deimlo mor ddiolwg, yn enwedig yng nghwmni dynion, ei gŵr yn bennaf. Gwyddai fod ei dillad yr un mor chwaethus â rhai Lisa; ond rywsut edrychent yn waeth,—yn lle gwell,—amdani nag ar y fodel yn ffenestr y siop. Sylweddolai bellach fod ei chorff, yr arferai Dafydd ei alw yn eiddil, yn rhy denau, fel corff bachgen ieuanc a'i gwallt brown golau yn hongian yn llipa o gwmpas ei

hwyneb. Er bod Morris yn driniwr gwallt penigamp, rhaid oedd iddo gyfaddef na allai wneud llawer i helpu Denise. Ar adegau fel hyn deuai atgof am y fyfyrwraig ifanc hyderus honno i'w meddwl. Ni feddyliodd erioed ei bod yn dlws a deniadol ond meddai ar bersonoliaeth hawddgar a ddenai bobl o bob oed a rhyw tuag ati. Byrlymai o hunan hyder a bywiogrwydd ond wedi pymtheg mlynedd o briodas a llu o ferched y treuliai Dafydd ei amser hamdden yn eu cwmni, nid oedd arlliw o'r rhan honno o'i chymeriad ar ôl.

"Bydd fy ngŵr yn ymuno â Mrs Smythe a minnau i ginio," meddai wrth Mrs Williams wedi cyrraedd y gegin.

"Fydd Elin yma i de heno?"

"Na fydd. Mae hi'n cael te yn nhŷ Helen. Dim ond y tri ohonom, Mrs Williams."

"O'r gorau."

Ynghanol y cyffro o groesawu Lisa anghofiodd am y ffrae a gafodd gyda'i merch. Ni allai wneud dim â hi y dyddiau yma. Teimlai Elin atgasedd tuag at ei mam oherwydd ei bod yn tynnu ar ei hôl hi mewn edrychiad yn hytrach nag ar ôl ei thad golygus. Ceisiai Denise fagu rhyw gymaint o falchder a hunan hyder ynddi ond ofer fu ei hymdrechion. Enciliai fwyfwy i'w chragen, yn enwedig yng nghwmni ei thad, er y gwelai Denise yn ei llygaid mor gryf oedd ei chariad tuag ato. Yn hyn o beth yr un oedd ei effaith ar y fam a'r ferch.

Pan ddychwelodd i'r lolfa yr oedd Dafydd a Lisa ar ei hail Fartini, Dafydd bellach yn eistedd yn glòs at Lisa, ei fraich yn gorwedd yn hamddenol ar gefn y soffa y tu ôl i'w phen. Yr oedd y ddau yn chwerthin yn isel a phlygodd Lisa ymlaen i roi ei gwydr ar y bwrdd o'i blaen. Wrth iddi wneud hyn taenodd Dafydd ei fys i lawr ei hasgwrn cefn gan fanteisio ar y cyfle i'w llongyfarch ar steil ei ffrog. Sylwodd ar Denise yn sefyll yn y drws.

"Y lliw haul yn gweddu i ti, Lisa. Wyt ti'n cytuno, Denise?"

Eisteddodd Lisa i fyny'n araf.

"Ydy, ro'n i'n dweud wrthi pan gyrhaeddodd hi."

"'D'yw'r haul a Denise ddim yn cytuno â'i gilydd, Lisa. Croen golau yn llosgi fel cimwch."

Gwridodd Denise ac wrth deimlo anniddigrwydd ei ffrind dywedodd Lisa,

"Hi yw'r calla'. Byddi di a finna' wedi crebachu fel afal goraeddfed pan fyddwn ni'n hen!"

"Efallai wir; ond meddylia am yr hwyl yr ydan ni'n ei gael yn awr wrth weld pobl eiddigeddus yn edrych i'n cyfeiriad!"

"Paid â bod mor haerllug! Ydy cinio'n barod, Denise? Un o'r pethau gorau dros gael penwythnos i ffwrdd ydy bwyta bwyd gwahanol i fwyd y Bistro; nid fy mod i'n ei ddilorni, cofiwch, ond byddaf yn mwynhau cael newid bach. Rhaid cyfaddef fod Mrs Williams gystal cogyddes â Howard. Ond peidiwch ag ail-adrodd fy ngeiriau i!"

Chwarddodd y tri. Lisa wedi llwyddo unwaith eto i gyflwyno ysgafnder i sgwrs a allai fod wedi troi yn annifyr iawn.

"Dewch, fe awn ni at y bwrdd," meddai Denise.

Gafaelodd Dafydd ym mraich Lisa i'w helpu o'i sedd. Wrth wneud hyn cyffyrddodd cefn ei fysedd yn ei bron. Roedd yn noeth o dan ddeunydd tenau y ffrog. Edrychodd i fyw ei llygaid. Na, ni allai fod yn sicr ar hyn o bryd os mai addewid a welai yn ateb i gwestiwn ei lygaid.

"Ardderchog, Denise," meddai Lisa wedi gorffen bwyta cinio o bate cartref a thôst, salad eog a chorgimwch a phaflofa mafon a hufen ffres.

"Unrhyw adeg wyt ti eisiau cael gwared o Mrs Williams, cyfeiria hi at y Bistro!"

"Rhaid cyfaddef ei bod yn gogyddes benigamp," cytunodd Dafydd.

"Nawr, 'wn i ddim beth am y ddwy ohonoch chi, ond rydw i am yfed fy nghoffi ar y patio. Trueni colli dim o'r haul bendigedig yma!"

"Syniad gwych," atebodd Lisa. "Tyrd, Denise, cawn seibiant bach ar ôl cinio."

Aeth y tri allan drwy'r lolfa i eistedd ar y cadeiriau haul ar y patio yng nghefn y tŷ. Roedd y patio a'r tŷ ychydig yn uwch na gweddill yr ardd ac arweiniai stepen neu ddwy yma ac acw i lawr i'r lawnt. Planwyd blodau ar y llethr rhwng y ddwy lefel ac roeddent yn garped o liw erbyn hyn. Roedd y patio ei hun yn un llydan ac ar yr ochr draw iddo fe adeiladwyd barbeciw ac iddo do fel pabell y gellid ei godi drosto rhag y gwynt. Yn ystod yr haf cynhelid sawl parti ar y patio gan symud i'r tŷ pan âi'r awel yn fain.

"Wn i ddim am neb arall sy'n berchen gardd mor fendigedig," meddai Lisa gan ymestyn ei chorff i safle cyfforddus ar y gwely haul.

"Aros nes i ni adeiladu'r pwll nofio," atebodd Dafydd. "Wedyn cei deimlo cenfigen!"

"Pryd maen nhw'n dechrau ar y gwaith?"

"Wythnos nesaf," meddai Denise. "Bu'r gweithwyr yma ddoe yn cael golwg ar y lle."

"Dd'wedaist ti ddim wrtho i," meddai Dafydd yn finiog.

"Ches i ddim cyfle. Roedd hi'n berfeddion nos arnat ti'n dod adref neithiwr ac roeddet ti wedi gadael y bore 'ma cyn i mi godi."

"Wel, mi fuaset ti wedi gallu gadael nodyn."

"Fe ffonia i dy 'sgrifenyddes di y tro nesaf."

Chwarddodd Lisa i geisio ysgafnhau'r sgwrs unwaith eto.

"Dynion prysur, Denise. Mae Howard yn union yr un fath, i mewn ac allan o'r apartment mewn gormod o frys i ddweud 'helo'. Does dim angen i mi gael gwyliau oddi wrtho, a dweud y gwir, gan nad ydw i'n ei weld yn aml beth bynnag!"

Chwarddodd pawb.

"A sôn am wyliau, Lisa, sut aeth yr wythnos yn Rhodos?"

"Bendigedig, fel y d'wedais wrth Denise. Doedd wythnos ddim hanner digon. Mi arhoson ni mewn pentref o'r enw Lindos. Mae Acropolis yno a maen' nhw'n dweud mai yno y glaniodd Paul ar un o'i deithiau. Roedd hi'n andros o waith cerdded i ben yr Acropolis, ond wedi cyrraedd. . . bendigedig! Golygfa anhygoel."

"Mi gefaist amser da, felly."

"Ardderchog. Y bwyd yn dda, yr haul yn boeth a chwmni difyr iawn."

"Mae'n debyg ei bod hi'n edifar gan Howard nad aeth o gyda ti?"

"Dim felly. Mae Howard a'r Bistro yn anwahanadwy, fel y gwyddoch; ac wrth gwrs roedd Charles yn cadw cwmni iddo tra roeddwn i i ffwrdd."

Sylwodd Denise fod rhyw edrychiad pell wedi dod i lygaid Lisa wrth sôn am Howard.

"Ond roedd Terry wedi mwynhau ei hun?" gofynnodd i ddal sylw ei ffrind.

"O! oedd. Ardderchog."

Terry oedd chwaer ieuengaf Lisa. Roedd hi newydd gael ysgariad, a Lisa wedi talu am y gwyliau iddi i geisio codi ei chalon. Yr oedd gan Lisa ffrindiau yn byw ac yn gweithio yng ngwlad Groeg, felly cafodd y ddwy aros gyda hwy.

"Wel, ferched, rwyf am ei throi hi tua'r clwb golff am ychydig, os byddwch mor garedig â'm esgusodi. Fe alwaf yn y theatr ar y ffordd i weld os medraf sicrhau tocynnau i ni heno ar gyfer rhyw fath o adloniant. Cawn bryd yn *Casanova* ar ôl y sioe."

"O'r gorau," atebodd Denise. "Caiff Lisa a minnau gyfle i gael sgwrs wedi i ti fynd."

"Peidiwch â thorheulo gormod. Cofiwch nad yw'r haf wedi cyrraedd yn iawn eto; gall y gwynt fod yn fain. D'yn ni ddim am i ti gael annwyd, Lisa." Taenodd ei law yn chwareus ar hyd ei choes gan aros ychydig a phwyso ar ei chlun. "A rho dithau'r ymbarel uwch dy ben, Denise. 'Dwyt ti ddim eisiau dod i'r theatr heno gyda wyneb coch! Hwyl, ferched." Ac i ffwrdd ag ef.

Ochneidiodd Denise yn uchel wedi iddo fynd ac eisteddodd Lisa i fyny i edrych arni. Tynnodd ei sbectol haul. "Mae o'n un herllyd iawn, yntydi?"

"Nawddoglyd faswn i'n ei ddeud."

"O, Denise, rwy'n siŵr nad ydy o'n ei feddwl o."

"Fi sy'n byw efo fo, Lisa. Fi ddylai wybod."

"Ia, debyg."

"Mae o'n gwneud i mi deimlo mor ddibwys, yn enwedig o flaen pobl eraill; ac yn ymddangos fel pe bai o'n derbyn rhyw bleser o 'mychanu i. Flynyddoedd yn ôl fe faswn i wedi ei ateb yn ôl, wedi gallu meddwl am ffordd i wneud iddo deimlo'n ffôl am yr hyn dd'wedodd o. Ond nawr, wir i ti Lisa, does gen i ddim nerth hyd yn oed i feddwl am ateb."

"Wyt ti wedi ystyried ei adael?"

"I ble baswn i'n mynd? O, mi wn i y cawn i hanner y tŷ; mwy efallai, gan mai Dadi a'i rhoddodd o i ni fel anrheg priodas. Ond beth wedyn? Pwy fyddai eisiau cyflogi meddyg a honno ond wedi gweithio blwyddyn yn ystod y pymtheg mlynedd diwethaf? Na, mae pethau wedi newid cymaint. Os nad oes gen i nerth i'w ateb yn ôl, breuddwyd ffŵl yw meddwl am adael. Ac yna rhaid meddwl am Elin."

"Sut mae hi'n teimlo?"

"Wn i ddim faint mae hi'n sylwi. Mae'n addoli ei thad er ei fod yn ei bychanu hithau yr un fath. Oes ots gen ti os af i am gawod? Mae'r haul yma'n dechrau effeithio arna i ac yn codi cur yn fy mhen."

"Dim o gwbl. Fe orwedda' i yn yr haul ac efallai rhyw bendwmpian am ychydig. Rwyf i wedi blino ar ôl teithio yma."

"O'r gorau." Cododd Denise, ac wrth gerdded at y drws trodd yn ôl at ei ffrind.

"Lisa."

"Ia?"

"Wyddost ti ddim pa mor braf ydy hi arnat ti, mor hapus hefo Howard."

"Hapus?" meddyliodd Lisa wrth i Denise gamu i mewn i'r lolfa. "Taset ti ond yn gwybod!"

Pennod 2

Yr oedd yr ystafell athrawon yn wag ond yn llawn arogl mwg sigarets ar ôl yr amser chwarae. Agorodd Alun Parri y ffenestr yn llydan ac eisteddodd wrth y bwrdd i geisio marcio pentwr o lyfrau dosbarth pedwar. Dim ond rhyw bump wythnos hyd at ddiwedd y tymor ac yna bron i saith wythnos o wyliau hir braf. Roedd am dreulio y rhan fwyaf o'i wyliau gartref gyda'i rieni ym Môn. Câi fwynhau ei fam yn tendiad arno a châi gerdded y wlad a mynychu'r traethau fel y mynnai. Yr oedd wedi trefnu i dreulio wythnos yn gwersylla yn yr Alban gyda dau o'i ffrindiau ac yna wythnos arall mewn carafan yn yr Eisteddfod yn Llanrwst. Edrychai ymlaen yn arw at y gwyliau. Nid ei fod yn drwglecio dysgu, ond byddai'n rhaid iddo gyfaddef ei bod yn anodd ar brydiau, yn enwedig pan gâi ddosbarth eithaf bywiog a'r rheini am y gorau i gael hwyl am ei ben. Fel y bore hwnnw. Gwyddai yn iawn beth oedd Mari Watcyn yn ceisio ei wneud, ei ddenu a'i gynhyrfu, ac yr oedd yn ymwybodol fod gweddill y dosbarth yn gwybod hefyd. Y peth mwyaf damniol oedd ei bod yn llwyddo. Ni feddyliodd erioed y byddai merch ysgol yn cael y fath effaith arno. Cofiai fel yr oeddent yn griw o fechgyn flwyddyn yn ôl yn herian ymysg ei gilydd. Newydd orffen eu hymarfer dysgu a'r rhan fwyaf wedi derbyn swyddi ledled Cymru: tynnu coes am enethod y chweched dosbarth, ond roeddent yn dal yn ymwybodol iawn o'u safle. Un peth oedd eu gweld a bod yn eu cwmni mewn tafarnau ym Mangor Uchaf ond peth hollol wahanol fyddai'r sefyllfa athro-disgybl yn yr ysgol.

Agorodd y drws a daeth Bethan James i mewn i dorri ar ei feddyliau.

"Dy hun wyt ti?"

"Mae'n edrych yn debyg, dydy?"

"Ydy. Os nad ydi Miss Price yn cuddio mewn cwpwrdd yn barod i neidio allan arna i."

"Be' wyt ti wedi ei wneud eto?"

"Deud oedd hi bod y genethod yn gwneud gormod o sŵn wrth ddod o'r gampfa. 'Maen nhw'n amharu ar wersi academig, Miss James' yn ei llais gwrandewch-arna-i."

"O, felly."

"Ia. Wyt ti isio paned o goffi?"

"Dim diolch."

Prysurodd i lenwi tegell. Edrychodd Alun arni. Gwisgai sgert denis fer, wen a chrys gwyn efo streipen las yma ac acw arno. Roedd ei choesau a'i breichiau yn brownio'n braf wrth fod allan yn yr haul bob dydd. Plygodd i estyn cwpan o'r cwpwrdd dan y sinc a gwelodd Alun ei bod yn gwisgo siorts cwta o dan y sgert. Gwridodd wrth sylwi ar siap ei chluniau ac estynnodd un o'r llyfrau o'r pentwr yn frysiog.

"Ti 'rioed yn mynd i farcio ar bnawn Gwener?"

"Mae'n rhaid i mi. Mae gen i benwythnos prysur o 'mlaen i."

"Braf ar rai dd'weda i."

"Paid â deud dy fod di'n mynd i laesu dwylo?"

"Ddim yn hollol. Yr un hen bethau diflas—glanhau'r fflat, golchi dillad, a choginio i mi fy hun ac yn y blaen."

"Diflas iawn. 'Alla i ddim credu fod Miss James heini yn troi yn Ulw Ela ar benwythnos!"

"Y penwythnos yma o leiaf. Mae fy ffrind sy'n rhannu'r fflat efo fi yn mynd adref a phawb arall yn brysur. A thitha'?"

"Wel rhyw beint bach efo'r hogia' heno ac yna taith gerdded yn y wlad fory. Ma' ffrind i mi yn arweinydd clwb ieuenctid ac yn mynd â rhai o'r plant allan am y diwrnod; a chan fy mod am dreulio gwyliau yn cerdded rhai o fynyddoedd yr Alban yr haf 'ma, meddwl y baswn i'n cael ychydig o ymarfer."

"Call iawn. Mae'n argoeli tywydd braf beth bynnag. Dylet ti gael amser da."

"Pam na ddoi di efo ni?"

"A cholli diwrnod cyffrous o lanhau a golchi?"

"Na, o ddifrif. Tyrd yn dy flaen; mae criw ohonon ni'n mynd. Byddet ti'n mwynhau dy hun."

"Wn i ddim. 'Faswn i ddim yn 'nabod neb nac yn hoffi tarfu. . . "

"Paid â rwdlan. 'Feddyliais i rioed dy fod di'n swil. Yli, meddylia am y peth a mi ffonia i di heno i gael ateb. Iawn?"

"O'r gora'."

Canodd y gloch a chododd Alun oddi wrth y bwrdd.

"'Dwyt ti ddim yn dysgu'r wers ola' 'ma fel arfer, Alun?"

"Nag ydw. Gwarchod dosbarth Wil Ellis. Mi ro' i waith iddyn nhw a gorffen y marcio 'ma. Wela' i di ddiwedd y dydd?"

"Na, mi fydda i wedi mynd i ddechrau ar y glanhau rhag ofn i mi newid fy meddwl ynglŷn â fory!"

"Gobeithio."

"Cawn weld. Hwyl i ti!"

"Hwyl!"

Caeodd y drws ar ei ôl gan adael Bethan â golwg feddylgar ar ei hwyneb, y coffi wedi mynd yn angof.

Dewisai Dafydd ei foduron fel y dewisai ei ferched. B.M.W. dibynadwy a chyfforddus ar gyfer y teulu gartref a Toyota M.R.2 iddo ef ei hun. Yr olaf a roddai fwyaf o bleser iddo. Modur isel o liw glas tywyll ar y rhan isaf a glas golau ar y rhan uchaf. Dim ond lle i ddau oedd ynddo ac ymhyfrydai Dafydd yn ei siap gosgeiddig, ei foethusrwydd a'i gyflymdra. Roedd digon o le yn y gist i'w offer golff a chyda'r rhif DMP1 arno denai edmygedd dynion a merched wrth wibio o le i le.

Wrth deithio tua'r clwb golff cil-edrychai bob yn hyn a hyn ar y drych uwch ei ben. Gwnâi hyn yn bennaf er mwyn edrych arno ei hun yn hytrach na gweld beth oedd y tu ôl iddo.

Cyrhaeddodd y clwb, tynnodd yr offer o gist y car, ac anelodd am y bar. Roedd yn rhaid cael llymaid bach cyn cychwyn ar gêm.

"Dafydd! Peint bach cyfeillgar cyn y gystadleuaeth," meddai llais uchel Gwyn o'r gornel. "Mi bryna' i hwn gan mai ti fydd yn talu wedi i ni orffen!" Chwarddodd yn uchel. Roedd yn arferiad ganddynt i'r collwr brynu diod ar ôl y gêm.

"Gawn ni weld am hynny," atebodd Dafydd gan geisio creu nodyn cellweirus yn ei lais. Yr oedd yn hoff o Gwyn fel cyfaill ar y cwrs golff ond weithiau yr oedd ei sŵn a'i gadw reiat yn mynd ar ei nerfau.

Yfodd Dafydd ei beint yn sydyn. "Reit 'te," meddai. "I ffwrdd â ni. Mae gen i noson ddifyr o 'mlaen i heno, felly dydw i ddim eisiau bod yn hwyr."

Teimlai Denise yn well wedi cael rhyw awr o

seibiant ar y gwely yn ystod y prynhawn. Ciliodd y cur yn ei phen ac wedi cawod a gwydraid o win yr oedd wedi ymlacio'n llwyr. Gwisgodd ei ffrog las tywyll gyda siaced hufen ac am unwaith dywedodd Dafydd ei bod yn edrych yn ddel iawn.

Ffrog o sidan du a wisgai Lisa. Roedd y rhan uchaf yn disgyn yn llac ac yna'n clymu'n dynn yn isel o dan ei gwasg. Disgynnai'r sgert wedyn yn haenau llyfn o gwmpas ei choesau. Llewys tri chwarter oedd iddi a chefn isel, isel. Gwisgai siol liw aur disglair am ei hysgwyddau a sandalau uchel aur. Yr oedd wedi codi ei gwallt a hongiai clust-lysau hirsgwar aur o'i chlustiau. Ynghyd â'r lliw haul euraid, a oedd wedi gloywi fwyfwy wedi awr neu ddwy ar y patio, creai argraff effeithiol iawn. Ni allai Dafydd dynnu ei lygaid oddi arni ac wrth gerdded i mewn i'r theatr ac yna i *Casanova* ni allai beidio â sylwi fod yr effaith ar ddynion eraill yr un fath.

Mwynhaodd y tri y perfformiad o *La Traviata* a'r pryd ar ei ôl a chyraeddasant Caerau am ugain munud wedi un yn y bore wedi blino'n llwyr. Roedd Elin wedi ffonio amser te i ddweud ei bod yn aros yn nhŷ Helen.

"Diod bach, ferched, cyn troi am y gwely," awgrymodd Dafydd.

"O na, Dafydd," atebodd Denise. "Rwy'n siwr ein bod i gyd wedi cael digon yn barod. Syth i'r gwely i mi, beth bynnag. Nos da, Lisa."

"Nos da, Denise. Diolch am noson fendigedig."

Edrychodd y ddau arni'n cerdded i fyny'r grisiau.

"Lisa, tyrd, fe gawn ni ddiod bach cyn cysgu," meddai Dafydd wrth gerdded at y lolfa.

"O na, wir, Dafydd, dim heno."

Trodd tuag ati a gafaelodd yn ei llaw gan ddweud yn gellweirus,

"Wnei di ddim gadael i mi yfed ar fy mhen fy hun?"

"Mae'n rhaid i mi, mae arna i ofn. Rwy'n disgyn i gysgu'n barod."

"Wel, mae yma soffa gyfforddus, ac mae gen i ysgwydd lydan iawn."

Edrychodd i fyw ei llygaid ac ni ddywedodd yr un ohonynt air. Chwarddodd Lisa a dweud, yr un mor gellweirus,

"Y gwely yw'r unig beth digon llydan i mi heno. Rydw i wedi ymlâdd. Nos da, Dafydd."

Gollyngodd ef ei llaw ac edrychodd arni yn cerdded ar draws y cyntedd, cyn troi at y botel frandi.

Yr oedd Bethan ar ei ffordd i'r bath pan ganodd y ffôn.

"Helo 687402."

"Helo, Bethan? Alun sy' yma."

"O helo, Alun. Sut ma' hi erbyn hyn?"

"Iawn, diolch. A titha'?"

"Yn dechrau dadflino wedi wythnos galed!"

"Wyt ti wedi meddwl mwy am yfory?"

"Wel do, a dweud y gwir."

"Wel?"

"Mi edrychais ar y gwaith golchi a'r llestri budron, a'r llwch, a daeth darlun godidog o daith yn y wlad ar draws fy meddwl. Cei di ddyfalu p'un orfu."

"Mi ddoi di, felly."

"Dof."

"Rwy'n falch iawn. Mi alwa i amdanat ti tua wyth o'r gloch. Iawn?"

"O'r gorau. Tan yfory, felly. Hwyl fawr."

"Hwyl. O Bethan, cofia ddod â brechdanau i ginio."

"Iawn. Hwyl."

"Hwyl fawr. . . a diolch."

Clywodd glic y ffôn cyn iddi ateb ymhellach. Cerddodd i'r ystafell ymolchi â gwên ar ei hwyneb. Suddodd i mewn i'r dŵr cynnes llawn swigod meddal. Roedd yn edrych ymlaen at fory yn fwy nag a feddyliai.

Cododd Denise yn fuan fore trannoeth er ei bod yn go hwyr arni'n noswylio. Roedd Dafydd yn dal i gysgu'n sownd a cheisiodd ei gorau i beidio â gwneud sŵn wrth fynd o gwmpas yn ymolchi a gwisgo. Wrth weld y golau llachar yn yr ystafell ymolchi tybiai ei bod yn ddiwrnod braf eto, er nad agorodd lenni'r ystafell wely rhag i'r haul ddeffro Dafydd. Gwell fyddai ganddo bob amser ddeffro ohono ei hun na chael ei ddeffro'n sydyn neu'n annisgwyl. Agorodd Denise ddrws yr ystafell wely'n araf ac aeth i lawr y grisiau. Ni ddeuai sŵn o gwbl o ystafell Lisa, ychwaith.

Doedd Mrs Williams ddim wedi cyrraedd pan aeth Denise i mewn i'r gegin a tharodd y tegell i ferwi i wneud paned o de. Ni fyddai Elin yn ôl tan ar ôl cinio. Gobeithiai Denise na fyddai mwy o gweryla gyda'i merch, yn enwedig o flaen Lisa. Roedd yn anodd iawn iddi glosio at Elin y dyddiau yma gan y teimlai'r ferch fod ei mam yn ymyrryd yn ei bywyd. Roeddent wedi bod yn gymaint o ffrindiau pan oedd Elin yn fechan. Treuliai Denise oriau yn chwarae gyda'i merch ac yn darllen iddi. Y cwbl a geisiai Denise ei wneud oedd ennyn hunan hyder yn Elin a'i chael i gymysgu mwy efo pobl ifanc o'r un oed â hi. Anodd oedd cofio pryd y dechreuodd y berthynas droi o chwith. Gwthiodd hyn i du ôl ei meddwl a thywalltodd gwpanaid o de.

"Fe gymera i baned hefyd." Llais Dafydd yn torri

ar ei meddyliau.

"O! rwyt ti wedi codi, a minnau wedi ceisio 'ngorau i fod yn ddistaw."

"Wnest ti ddim llwyddo, mae'n amlwg."

Nid atebodd Denise. Doedd hi ddim am chwilio am ffrae ben bore.

"Lisa heb godi?" gofynnodd Dafydd.

"Does yna ddim golwg ohoni, beth bynnag."

"Fe af â phaned iddi ar ôl gorffen f'un i."

"Gwell i ti adael iddi gysgu. Roedd hi wedi blino'n llwyr ar ôl teithio."

"Beth sy', Denise? Ofn i mi neidio i'r gwely efo hi?"

"Fyddai o ddim o'r tro cyntaf i ti wneud peth felly," meddai Denise yn ddistaw wrth droi at y sinc i olchi ei chwpan.

"Beth dd'wedaist ti?"

"Dim."

"Tywallt baned iddi hi 'te," a llowciodd Dafydd y gweddillion oedd yn ei gwpan. Gafaelodd yn y gwpan a'r soser lawn o'i llaw. "Wela' i di wedyn!" a chwarddodd yn uchel wrth fynd drwy'r drws.

Trodd Denise ei chefn ato rhag iddo weld y dagrau bygythiol yn ei llygaid. Caeodd ei dyrnau yn dynn gan deimlo'i hewinedd yn brathu croen ei dwylo.

Curodd Dafydd yn ysgafn ar ddrws ystafell wely Lisa. Er mawr syndod iddo agorwyd y drws yn syth a safai Lisa yno mewn ffrog gotwm flodeuog.

"Bore da, Dafydd. Ar fy ffordd i lawr oeddwn i."

"Meddwl y byddet ti yn gwerthfawrogi paned bach."

"Diolch yn fawr i ti. Fe yfa i hon yn y gegin efo Denise. Clywais hi'n codi yn gynharach."

Gafaelodd yn y gwpan a'r soser o'i law, tynnodd y drws ynghau ar ei hôl ac aeth heibio iddo i lawr y grisiau. Hanner ffordd i lawr safodd yn stond a throdd ato.

"Gwell i ti fynd i newid. Fel y dywedaist ti ddoe, mae'n drueni colli dim o'r haul bendigedig yma."

Edrychodd Dafydd ar ei ŵn gwisgo fer ac am y tro cyntaf ers blynyddoedd teimlai'n hollol hurt.

Ar ôl brecwast aeth Denise a Lisa i siopa. Roedd siop ddillad dda iawn yn y dref yn gwerthu dillad *Parigi, Le Truc, Fink* ac eraill a byddai Lisa wrth ei bodd yn edmygu'r deunydd, y steil a'r lliwiau diweddaraf. Dychrynai Denise wrth ei gwylio'n gwario cannoedd ar y tro.

Wedi treulio dros awr yno yn penderfynu ar y gwisgoedd aeth y ddwy am baned o goffi.

"Bydd rhaid i mi ddychwelyd heno, Denise," meddai Lisa wedi iddynt eistedd mewn seddau cyff-orddus yn y gornel.

"Oes rhaid i ti?" gofynnodd Denise.

"Oes yn wir, mae parti pen-blwydd rhyw gwsmer arbennig yn cael ei gynnal yn y Bistro nos yfory, ac mae'n well gan Howard fy nghael i o gwmpas ar achlysuron o'r fath."

"Ond 'allet ti ddim mynd ben bore fory?"

"Na wir, mae gen i gant a mil o bethau i'w gwneud, a d'wedodd Terry fod ganddi rywbeth arbennig i'w drafod."

"A sut mae hi'n cadw?"

"Hapusach o lawer ar ôl ei hysgariad. Mae o wedi gwneud byd o les iddi. Dylet ti gymryd cyngor."

"Gad iddo fod, Lisa, plîs. Does dim pwynt trafod. Aiff hi'n ôl i fodelu?"

"Na wnaiff. Yn y byd hwnnw mae hi dros oed yr addewid. Meddwl am ryw fusnes bach mae hi.

Boutique neu rywbeth o'r fath. Bydd ganddi gryn dipyn o arian wedi gwerthu'r tŷ."

"Fe wnaiff yn gall. Wel, wyt ti'n barod?"

"Ydw. Am y siopau sgidiau â ni. Does gen i yr un esgid i weddu i'r dillad newydd 'ma!"

"O Lisa, am ddweud!"

Aeth y ddwy allan i'r awyr iach fraich ym mraich dan chwerthin.

Cyraeddasant adref ddiwedd y prynhawn wedi cael diwrnod hwyliog. Roedd Dafydd ac Elin yn chwarae tenis, ac wedi ymolchi a newid i ddillad ysgafn eisteddodd Denise a Lisa ar y patio i'w gwylio.

"Mae diod oer i chi yma pan fyddwch wedi gorffen," galwodd Denise. Chwifiodd Dafydd y raced fel ateb. "Dyna'r unig amser y bydd Elin yn dangos unrhyw arlliw o hunan hyder," meddai Denise.

"Pryd? Wrth chwarae tenis?"

"Wrth ymgymeryd ag unrhyw chwaraeon. Mae fel petai'n bywiogi drwyddi."

"Mae hi'n sylweddoli ei bod yn dda."

"Ydy, debyg."

Wedi gorffen y gêm rhedodd Elin o'r cwrt ar draws y lawnt ac i fyny'r stepiau i'r patio. Cofleidiodd Lisa mewn croeso.

"Wel, gad i mi edrych arnat ti," meddai Lisa. "Rwyt ti'n ferch ifanc bellach ac yn gwneud i dy fam fedydd deimlo'n hen iawn."

Wedi cadw reiat a thrafod llu o bethau doniol, dibwys a wnaethai Elin yn blentyn, aethant i'r tŷ am bryd o fwyd.

Mewn dim yr oedd yn amser i Lisa ymadael.

"Diolch unwaith eto am benwythnos difyr dros ben."

"Trueni na allet ti aros tan yfory," meddai Denise.

"Wel ie," cytunodd Dafydd, "yn enwedig a thithau wedi gwrthod diod bach cyn gwely neithiwr. Efallai na fyddet ti mor lluddedig heno!"

"Paid â bod mor siŵr, wedi diwrnod caled o siopa," atebodd Lisa.

"Mi fydda i o gwmpas eich ardal chi mewn pythefnos. Fe alwa i i'ch gweld," meddai Dafydd.

"Cofia. A thyrd â Denise efo ti. Mae amser maith ers pan fuoch chi acw. Hwyl nawr a diolch unwaith eto, Denise."

"Cofia ni at Howard. Mi edrychwn ymlaen i dy weld eto," galwodd Denise wrth i'r car gychwyn.

"Yn bendant, Lisa, yn bendant," meddai Dafydd gan droi at y tŷ a gadael y fam a'r ferch i sefyll a chwifio dwylo.

Pan gyrhaeddodd Mari adref ar ôl cinio, sefyllfa annisgwyl iawn a'i hwynebai. Chwaraeai yr efeilliaid ynghanol y gwair uchel yn yr ardd ffrynt a gorweddai Sam yn ei goits yn cysgu'n braf. Roedd y ffenestri i gyd ar agor a'r net wedi ei dynnu i lawr. Ymbalfalodd Mari dros y peiriant glanhau a nifer o gadachau a thuniau cŵyr yn y cyntedd ac aeth a'r bagiau neges drwodd i'r gegin.

"Diolch i Dduw dy fod di wedi cyrraedd. Dw i bron â mynd yn wirion ynghanol y llanast 'ma!"

Roedd ei mam i fyny at ei dau benelin mewn dŵr sebon, wrthi'n golchi paent y waliau.

"D'wn i'm be ddiawl wnaeth i mi dynnu'r lle 'ma i mhen. Cofia, mae o'n futrach o beth cythraul na feddyliais i. Paid â sefyll yn fan 'na fel hurtan—dechreua ar y llofftydd!"

Uffuddhaodd Mari a bu'r ddwy wrthi'n ddygn drwy weddill y dydd.

Am hanner awr wedi naw rhoddodd Mari fath i'r efeilliaid a Sam ac aeth y tri i gysgu yn ddi-lol wedi diwrnod allan yn yr awyr iach. Tra roedd hi'n gwneud hyn roedd ei mam wedi picio i'r Indian i lawr y lôn ac wedi dod â swper blasus i'r ddwy ohonynt. Anaml iawn y câi'r fam a'r ferch gyfle i dreulio amser yng nghwmni ei gilydd.

"Rhaid i mi dd'eud bod y lle 'ma'n edrach yn well wedi cael sgwrfa, er 'mod i wedi ymlâdd ar ôl yr holl waith."

Edrychai Glenys Watcyn fel trychiolaeth, ei hwyneb yn wyn a'r llygad ddu yn llawer mwy erchyll, ei gwallt ar ben ei dannedd a'i dillad yn ôl glanhau i gyd.

"Ma golwg 'di blino arnoch chi. Dw i'm yn rhyw fywiog iawn fy hun."

"Sut ma'r pryd yn plesio?"

"Grêt. A chi?"

"Ti'n gwybod mod i'n sgut am gyrri. Fydda i ddim yn 'i gael o'n amal wrth bod Eddie'n cwyno fod ogla ar fy ngwynt 'i ar i ôl o."

'Un da i siarad,' meddyliodd Mari, yr arogl sigarets a chwrw yn llenwi ei synhwyrau.

"Dach chi'n meddwl daw o'n ôl?"

"Daw, debyg, a'i gynffon rhwng ei goesau. Ond os daw o, mi ffeindith fod pethau wedi newid. Fydd na ddim blerwch yma o hyn ymlaen a rhaid i minnau dwtio ychydig ar 'y'n hun."

"Bydd gofyn iddo fo newid felly," atebodd Mari, "a threulio llai o amser yn slotian yn y Llew Du."

"Bydd. Dw i ddim yn mynd i adael i bobol 'y ngalw i'n slwt mor handi tro nesa 'ma."

"Pwy sy 'di'ch galw chi'n slwt, felly?"

"Yr hen Beti Tŷ'n Cae 'na. Deud nad oes rhyfedd mod i'n cael cweir am 'mod i'n gymaint o slwt.

Fasa'i Bill hi byth yn g'neud ffasiwn beth."
"Be ddeudoch chi?"
"Deud i bod hi'n lwcus o'i Bill, ac ma'n sbâr i o'dd hi 'di gael beth bynnag!"
"O mam!" Dechreuodd Mari bwffian chwerthin.
"A sut oedd dy nain?"
"Iawn."
"Dw i'n siwr fod ganddi hi rwbath i'w ddeud am hyn. Ddeudist ti wrthi?"
"Do. Roedd rhaid i mi achos bod hi'n holi pam roeddwn i'n siopa yn lle golchi."
"Be ddeudodd hi?"
"Poeni am bobol yn siarad."
"Ia, debyg. Ma' hi wedi rhoi'r gora' i boeni amdana i. Cofia, ma' hi'n ddynas dda iawn, a finna' 'di dod â dim ond poen iddi. Ond ma' 'na newid i fod, dechra' o rwan. Tyrd â dy blât yma i mi gael ei olchi o, dim ei adael o tan bora fory."
"Dw i am 'i throi hi am fy ngwely, os 'dych chi ddim yn meindio."
"Ia, dos di. Fydda' i ddim yn hir."
Aeth y ddwy allan o'r ystafell fyw, Glenys yn troi am y gegin a Mari am y grisiau.
"A Mari?"
"Ia," atebodd o glywed llais ei mam yn codi o dywyllwch y cyntedd pan oedd hi bron â chyrraedd y ris olaf.
"Dw i yn dy garu di, cofia."
Teimlai Mari ei hun yn gwrido drosti. Ni wyddai sut i ymateb i eiriau anghyfarwydd ei mam.
"Nos da," meddai wrth ruthro i'w hystafell wely gan gau'r drws yn araf ar ei hôl.

Eisteddai Bethan James yn nhafarn Yr Uchelwyr gydag Alun Parri a'i ffrindiau. Yr oedd wedi mwynhau diwrnod bendigedig o gerdded yn y wlad. Roeddent wedi cerdded tua chwe milltir i gyd ac wedi bwyta eu cinio ar lan llyn tawel gyda digonedd o le agored i'r plant chwarae o gwmpas. Plant hoffus iawn oedd y rhan fwyaf ohonynt, a chan eu bod yn mwynhau eu hunain yr oeddent yn ymddwyn yn weddol ddi-drafferth. Mwynhaodd Bethan gwmni'r tri oedolyn arall hefyd—Tecwyn Roberts, ffrind Alun, arweinydd y clwb ieuenctid, Colin Edwards ac Ann Huws yr arweinyddion rhan amser. Gweithio mewn swyddfa cwmni arwerthwyr yn y dref wnâi Colin, ac Ann yn ysgrifenyddes mewn ysgol gynradd.

Edrychodd Bethan arnynt yn awr, Alun, Tecwyn, Colin ac Ann. Nid oedd wedi mwynhau ei hun gymaint ers tro. Roedd y pedwar ohonynt yn gwneud iddi hi deimlo'n gartrefol ac yn ei thynnu i'w sgyrsiau fel pe bai hi'n eu hadnabod erioed.

"Beth wyt ti'n ddweud, Bethan?" torrodd Alun ar ei meddyliau.

"Mae'n ddrwg gen i. Ro'n i 'mhell i ffwrdd."

"Wyt ti'n ffansïo Indian?"

"O ydw, diwedd campus i ddiwrnod pleserus."

"Dyna ni 'te," meddai Colin. "Beth am fynd nawr. Does dim angen aros 'ma tan amser cau. Fe gawn ni fwrdd tawel mewn cornel cyn i wehilion meddw y dref droi i mewn." Chwaraeai gwên ar ei wefusau.

"Wel, clywch arno fo," atebodd Ann. "Mi fasech yn meddwl nad yfodd o 'r 'un diferyn o gwrw 'rioed heb sôn am feddwi!"

Aethant i gyd allan dan chwerthin a thynnu coes.

Gwyddai Alun am dŷ bwyta Indiaidd ar gyrion y dref. Lle tawel, meddai, gyda'r Madras gorau yng Nghymru.

Fel yr oeddent yn mynd i mewn daeth gwraig

fechan allan yn cario bwyd brys mewn bag papur mawr brown. Edrychodd i wyneb Bethan a syfrdanwyd honno wrth weld yr olwg ar ei llygad ddu.

"Beth sy, Bethan?" gofynnodd Alun wrth i'r wraig droi i ffwrdd. "Welaist ti erioed neb wedi cael crasfa o'r blaen?"

"Na, nid hynny sy. Meddwl ro'n i mod i wedi gweld y wraig 'na o'r blaen. Oeddet ti'n ei 'nabod hi?"

"Sylwais i ddim arni, a d'eud y gwir. Efallai mai mam un o blant yr ysgol acw oedd hi; mae 'na ddigon o giaridyms hyd y lle. Tyrd, ma'r lleill wedi mynd i mewn."

Wedi mwynhau'r pryd a chwmni difyr ei gilydd troesant eu camrau tuag adref. Ar ôl ffarwelio â'r gweddill, danfonodd Alun Bethan i'w fflat.

"Wel, wnest ti fwynhau dy hun?"

"O do, Alun, diolch."

"Balch fy mod i wedi dy berswadio i ddod?"

"Wel, roedd o'n dipyn difyrach na glanhau a golchi!"

Chwarddodd Alun a phwysodd fotwm y radio. Chwaraeai miwsig ysgafn yn y cefndir.

"Mae dy ffrindiau'n rhai difyr iawn."

"Ydyn. Rwy'n 'nabod Tecwyn er pan oeddwn yn yr ysgol, a wedi dod yn ffrindiau efo Ann a Colin drwyddo fo. Rhaid i ti ddod efo ni eto."

"Mi faswn i'n hoffi hynny."

Ymhen ugain munud stopiodd y car o flaen fflat Bethan.

"Byddai Tecwyn wedi gallu fy nanfon ac yntau'n pasio, petawn i wedi meddwl," meddai Bethan. Siarad gwag am na wyddai yn iawn beth i'w ddweud.

"Doedd o ddim trafferth," atebodd Alun.

"Ac i orffen, cân ramantus Caryl a'r Band i gariadon ledled Cymru, 'Pan Ddaw Yfory'." Llais melfedaidd y troellwr yn torri ar draws.

"Wel, dyna ni ta."

"Ia, dyna ni."

"Wela i di ddydd Llun, Alun, a diolch unwaith eto."

"Croeso. Hwyl nawr."

"Hwyl fawr." Edrychodd arno am eiliad ac yna aeth allan o'r car.

Gwyliodd Alun hi'n mynd i fyny'r stepiau a thrwy ddrws y fflat cyn troi'r car tuag adref.

Pennod 3

Clywodd Elin glep y drws ffrynt. Gollyngodd y brws gwallt ar y bwrdd gwisgo a rhuthrodd at y ffenestr. Gwelodd ei thad yn brasgamu i'r car, ac yn gyrru i ffwrdd gan adael ond sgrechiadau teiars ar ei ôl. Roedd hi wedi amau neithiwr iddi glywed lleisiau uchel drwy'i breuddwydion. Aeth yn ôl at y bwrdd gwisgo a gafaelodd yn y brws. Edrychodd arni ei hun â'i llygaid di-sylw, llwyd. Gollyngodd y brws am yr ail waith. Ni allai'r holl frwsio, fel a awgrymir mewn cylchgronau merched, wella dim ar ei gwallt hi. Tynnodd yn ddig yn y cudynnau brown—lliw llygoden oedd y disgrifiad arferol ohono.

Aeth i orwedd ar y gwely. Caeodd ei llygaid ac yn ei meddwl gwelai ei hun yn cerdded yn osgeiddig i lawr y grisiau. Gwallt melyn fel aur fyddai ganddi a llygaid glas, glas. Byddai ei thrwyn yn berffaith a'i gwefusau fel siap bwa saeth a lliw pinc iach arnynt ac ar bennau ei gruddiau. Corff lluniaidd fyddai ganddi a weddai i'w thaldra a byddai pawb yn gwirioni arni ac yn rhyfeddu wrth ei gweld mor arbennig o dda ym mhopeth a wnâi. Agorodd ei llygaid a brathodd ei gwefus uchaf rhag rhyddhau y dagrau wrth sylweddoli mai darlun hollol wahanol a greai ble bynnag yr âi. Pe bai Lisa yn fam iddi byddai'n hollol wahanol, roedd yn siŵr o hynny. Cododd oddi ar y gwely ac aeth i lawr i'r gegin i gael brecwast.

Roedd ei mam yn eistedd wrth y bwrdd yn cael paned. Clywai Mrs Williams efo'r peiriant glanhau mewn rhan arall o'r tŷ.

"Bore da. Newydd fynd mae dy dad."

"Ia. Felly clywais i." Daeth rhyw ysfa drosti i geisio gwneud i'w mam deimlo'n euog.

Gwridodd ei mam ychydig.

"S'gen ti ddiwrnod prysur o dy flaen yn yr ysgol?"

"Diwrnod olaf yr arholiadau. Almaeneg sy gen i y bore 'ma ac yna gwersi drwy'r p'nawn."

"'Well i ti frysio felly rhag ofn i ni fod yn hwyr."

Mynychai Elin yr ysgol breifat ar gyrion y dref. Roedd hi'n ysgol breswyl hefyd ond nid oedd pwrpas iddi hi aros yno gan fod ei chartref mor agos. Teimlai yn aml iawn ei bod yn colli rhywbeth wrth beidio â gwneud hynny. Er bod y genethod eraill yn eithaf cyfeillgar, câi'r argraff eu bod yn ei hystyried ar wahân rywsut. Ni châi ei thynnu i mewn i'w sgyrsiau am eu gwahanol anturiaethau, yn enwedig eu trafodaethau am y gwahanol gyfarfodydd a gaent gyda bechgyn yr ysgol breswyl arall gyfagos. Bu Elin mewn ambell un o'r cyfarfodydd yma ond teimlai yn anghyfforddus ac yn swil ymhlith y bechgyn. Disgybl yn ystod y dydd ydoedd Helen hefyd a'r ffaith yma fu'n gyfrifol am ffurfio cyfeillgarwch rhyngddynt ar y dechrau. Erbyn hyn yr oeddent yn ffrindiau pennaf ac yn cadw ychydig oddi wrth y gweddill.

"Wel, well i ni fynd, os wyt ti'n barod?"

"Ydy. Mi reda 'i i'r llofft i nôl fy mhetha' nofio. Mae gynnon ni ymarfer heno."

"O'r gora'."

Nid oedd Elin wedi yngan gair wrth ei mam wrth

fwyta ei brecwast, dim ond eistedd yno a golwg bell ar ei hwyneb. Tybiasai Denise ei bod wedi clywed peth o'r ffrae rhyngddi a Dafydd a'i bod unwaith eto yn gweld bai arni hi. Ni wyddai Denise sut i grybwyll y peth, felly bu hithau'n dawel gyda'i meddyliau.

Cyraeddasant yr ysgol wedi taith o ryw chwarter awr o'r tŷ. Teimlai Elin braidd yn nerfus ynglŷn â'r arholiad a byddai wedi bod yn falch o ychydig eiriau o gysur gan ei mam. Ar y ffordd i'r ysgol gyrrent heibio i'r ysgol gyfun a byddai Elin yn edrych ar y gwahanol ddisgyblion gydag eiddigedd. Yr un rhai fwy neu lai a welent bob dydd gan eu bod yn pasio ar yr un amser, a sylwai Elin ar un ohonynt yn arbennig. Merch dal ydoedd â'r gwallt mwyaf bendigedig a welodd hi erioed. Gwallt coch hir tonnog, ychydig yn is na'i hysgwyddau. Rhyw liw coch gwahanol fel petai llinynnau o aur pur wedi eu gwau drwyddo. O, am feddu ar wallt mor hyfryd, meddyliai Elin. Ni allai sylwi llawer ar ei hwyneb ond o bell edrychai yn ferch dlos iawn. Amgylchynai criw o fechgyn a merched hi bob amser a'r cyfan ohonynt i'w gweld yn mwynhau cadw reiat efo'i gilydd.

Arhosodd ei mam y tu allan i fynedfa'r ysgol.

"Hwyl i ti ar yr arholiad."

"Diolch," swta. "Mi ddaw mam Helen â fi adref."

"O'r gora'. Fyddwn ni ddim yn bwyta tan chwech, beth bynnag."

Gadawodd y B.M.W. hi'n sefyll ar y palmant yn teimlo fel rhywun wedi anghofio dweud rhywbeth pwysig.

Wrth yrru ymlaen teimlai Denise yn ddig iawn ond ni allai ddatrys yn bendant natur ei dicter.

Roedd yn ddig wrth Elin am fod mor dawedog, yn ddig wrthi hi ei hun am fethu rhannu cysur, ac yn bennaf oll yn ddig wrth Dafydd. Bu'r ddau ohonynt yn ffraeo ers rhyw wythnos bellach a'r un oedd testun y ffrae. Roedd cwmni arwerthwyr Morgan-Puw am ddechrau busnes ar y cyfandir. Prynu tai yn Sbaen a'u gwerthu i bobl ar drefniant rhannu yn fisol. Dywedodd Dafydd o'r dechrau y byddai'n rhaid iddo ef ac un o'i staff ymweld â'r wlad er mwyn trefnu gydag arwerthwyr yno. Cododd ei chalon yr adeg honno ac awgrymodd y byddai hithau yn gallu mynd gydag ef a chael ychydig o seibiant yn yr haul.

"Ond d'wyt ti ddim yn hoffi'r haul, Denise!" oedd ei ymateb. "A mae hi'n boeth iawn yn Sbaen yr adeg yma o'r flwyddyn."

"Fe allwn i gymryd 'siesta' pan fydd y gwres ar ei waethaf; a siawns gen i fod cysgod i'w gael yn rhywle!"

"Na, Denise, trip busnes fydd hwn. Bydd rhaid i mi a Colin gyfarfod efo nifer o bobol. Fyddai gen i ddim amser i dy ddandlwn di drwy'r dydd."

"Mi allwn i fynd o gwmpas fy hun, ac efallai y byddai Elin yn hoffi dod."

"O'r mawredd, y ddwy ohonoch chi. Na, Denise, dim y tro yma. Busnes yn unig fydd hwn. Mi elli di ag Elin fynd i ffwrdd yn ystod gwyliau'r ysgol. Mi ddof â chylchgronau gwyliau adref i ti heno."

"Meddwl roeddwn i y gallen ni fynd fel teulu eleni?"

"Dyn busnes ydw i Denise, nid ffermwr bonheddig fel dy dad a digon o amser i laesu dwylo. Gobeithio na chlywa 'i air arall ar y mater." Edrychodd arni fel pe bai wedi gosod cyfraith newydd ac aeth allan â chlep ar y drws.

Ni ddaeth adref y noson honno. Ffoniodd tua hanner

awr wedi pedwar i ddweud ei fod wedi llwyddo, yn annisgwyl i gael amser i ymweld â'r tŷ yng nghyffiniau cartref Lisa a'i fod wedi galw i'w gweld hi a Howard. Gan ei fod wedi blino braidd a thaith hir adref fe berswadiodd y ddau ef i aros noson. Daeth dagrau i lygaid Denise pan aeth i'w hystafell wely a gweld drws y cwpwrdd dillad yn agored; y bag teithio wedi mynd a dim sôn am ei ŵn nos na'i daclau 'molchi.

Ffoniodd Lisa y diwrnod canlynol yn llawn brwdfrydedd am gynlluniau Dafydd.

"Mae'r syniad yn wych, Denise! Mae o bron wedi fy mherswadio i a Howard i brynu hawl mewn *villa.*"

"O mae Dafydd wedi hen arfer perswadio."

Ni thalodd Lisa unrhyw sylw o'r coegni yn ei llais.

"Ac mae o bron wedi llwyddo i 'mherswadio innau i fynd gydag o i weld y lle. . ."

Aeth Denise yn oer drosti.

". . . na all Howard ddod, efallai yr â i. Mi ddywedais o'r blaen nad oedd wythnos yng Ngroeg yn ddigon o seibiant. Trueni na elli di ac Elin ddod. Dy dad ddim hanner da dd'wedodd Dafydd?"

Torrodd Denise ar ei pharablu.

"Rhaid i mi fynd, Lisa. Mae un o'r gweithwyr eisiau gair ynglŷn â'r pwll nofio. Cawn sgwrs eto. Hwyl fawr."

"Hwyl, Denise, a chofia ddweud wrth Dafydd mod i'n ystyried y peth!"

Ni wyddai Denise am faint y buodd yn eistedd wrth y ffôn, a heblaw am y gwlypder oer yn treiddio i lawr ei gwddf ni wyddai ei bod yn wylo.

Ysgwydodd Denise ei phen yn awr i geisio cael gwared o'r atgof poenus o'i chof. Yr oedd hi bron iawn adref ond ni theimlai fel troi'r car hyd at Caerau ar hyn o bryd. Doedd dim iddi ei wneud gartref, beth bynnag. Hoffai fynd ymhell bell oddi wrth bawb a phopeth i geisio rhoi trefn ar ei meddyliau. Yn sydyn daeth syniad iddi. Porth Helyg. Dim ond rhyw ddeugain milltir i ffwrdd ydoedd ac yn y B.M.W. byddai yno mewn llai nag awr. Gwenodd wrthi ei hun wrth feddwl am y lle a oedd mor agos at ei chalon. Ni fyddai llawer o bobl yno, mae'n debyg, gan nad oedd yn fae tywodlyd a ddenai niferoedd; ac i ddweud y gwir, er ei bod yn braf ac yn gynnes, doedd hi ddim yn dywydd torheulo. Trodd i'r dde wrth y groesffordd a daeth rhyw deimlad cynhyrfus y tu mewn iddi. Roedd fel plentyn yn mynd ar drip ysgol Sul yn edrych ymlaen yn eiddgar at gael cyrraedd.

Cerddodd Mari i'r ysgol efo Catrin gan ymuno ag eraill ar y ffordd nes ffurfio'n griw mawr o fechgyn a merched erbyn cyrraedd gatiau'r ysgol. Roedd hwyliau da iawn arni y dyddiau yma; yr arholiadau wedi gorffen ers deuddydd a hithau wedi cael llonydd i adolygu am y tro cyntaf ers blynyddoedd. Eddie wedi diflannu ers tair wythnos a dim sôn amdano'n dychwelyd; a chyda dim ond pythefnos o ysgol ar ôl, rhyw naws diwedd tymor hwyliog o gwmpas.

"Ew, sbïwch ar y car 'na, hogia," meddai Robin wrth i B.M.W. coch basio heibio iddynt. "Un fel 'na fydd gen i ryw ddiwrnod."

Chwarddodd pawb.

"Ma' hwnna'n yn pasio ni bob dydd bron," atebodd Huw, "rhywun yn mynd â'u merch i ysgol y crach."

"Fel 'na ti isio bod, ia Robin? Uffar o gar mawr a dy blant yn mynd i ysgol snobs?" Hoffai'r bechgyn dynnu coes ei gilydd.

Wrth droi eu camau tua gatiau'r ysgol gan gellwair a chwerthin trawyd Mari gan y cip a gafodd ar wyneb trist y ferch a eisteddai ym mlaen y car.

Aeth Mari a Catrin yn syth i'r ystafell gotiau i frwsio eu gwalltau a chael sgwrs sydyn cyn cofrestru.

"Pythefnos arall, diolch byth," meddai Catrin. "Er, mae'n siŵr nad wyt ti'n edrych ymlaen?"

"Be ti'n feddwl?"

"Wel, dros chwech wythnos heb weld yr hync."

"Pwy felly?"

"O, tyrd yn d'laen, Mari. Alun Parri, te. Pwy arall?"

"Paid â bod yn wirion."

"'Dw i'n gw'bod dy fod ti wedi mopio dy ben efo fo. Ti'n sythu ac yn ysgwyd dy dîn pan mae o o gwmpas."

"Paid â rwdlan."

"Wyt wir, a ti 'di cyfadda' dy hun dy fod di'n cael effaith arno fo."

"Tynnu dy goes di oeddwn i."

"Waeth i ti heb, beth bynnag."

"Pam?"

"Wel, mi fuo Dilys a Gwyneth am dro efo'r Clwb Ieuenctid a pwy oedd efo nhw ond y fo a hi!"

"Catrin, mi fasa'n dda gen i sa ti'n siarad synnwyr. Pwy ydy fo a hi, felly?"

"Wel y fo, Alun Parri, te, a hi Bethan James."

Suddodd calon Mari a chliriodd ei gwddf rhag i'w llais grynu.

"Deud celwydd oedda' nhw i drio g'neud 'u hunain edrach yn glyfar."

"Na, wir i ti. Mae o'n ffrindia efo'r arweinydd a

mi ddoth â hi efo fo. Symudodd hi ddim oddi wrtho drwy'r dydd medda' Dilys. Y ddau yn chwerthin ac yn sgwrsio'n braf efo'i gilydd."

"Wel, ddylet ti ddim gwrando ar eu straeon nhw, a ddylet ti ddim d'eud wrth bawb rhag ofn i ti ffeindio dy hun o flaen y Prif!"

"Ond dim ond wrthat ti dw i wedi d'eud!"

"Wel, taw felly," atebodd Mari yn bigog, "a tyrd yn dy flaen. Mae'r gloch wedi canu. Dw i ddim isio ffrae o d'achos di'n rwdlan siarad!"

Dilynodd Catrin ei ffrind i'r dosbarth, heb ddeall yn iawn beth oedd hi wedi ei ddweud i haeddu'r fath ymateb.

Bu Mari a'i phen yn ei phlu am weddill y diwrnod. Blinodd Catrin ar ei thymer ac ar geisio ei thynnu'n ôl i'w hwyliau da: penderfynodd ei hanwybyddu a chael hwyl efo'r genethod eraill. Nid oeddent yn gweithio rhyw lawer yn eu gwersi y dyddiau yma—roedd yr athrawon yn rhy brysur yn marcio papurau arholiad.

Mathemateg oedd eu gwers olaf cyn cinio a dywedodd Alun Parri wrthynt am gario ymlaen i ddarllen neu wneud rhywbeth yn dawel am fod ganddo lawer o waith marcio. Eisteddodd Mari yn syllu arno am amser maith. Ni welodd hi erioed neb mor olygus â'r athro ifanc yma,—wel, heblaw am un neu ddau o actorion neu sêr pop ar y teledu. Hoffai'r ffordd yr oedd ei wallt yn ffurfio'n gyrls yn y cefn a cheisiodd ddyfalu sut beth fyddai eu modrwyo o amgylch ei bysedd. Edrychodd ar siap ei wefusau pan godai ei ben a'i lygaid gleision yn synfyfyrio wrth bwyso a mesur yr atebion ar y papurau o'i flaen. Doedd o ddim yn dal iawn, yn dalach na hi wrth gwrs, ond ddim yn rhy dal. Gallai ddychmygu ei hun yn pwyso yn ei erbyn, ei dwylo wedi eu plethu am ei wddf, ac yn codi ei phen i dderbyn y gusan dyner ar ei gwefusau. . .

"Mari, does gennych chi ddim i'w wneud?"

Neidiodd yn sydyn o'i breuddwydion wrth glywed ei lais a gwridodd.

"Meddwl ro'n i, syr."

"Wel ffeindiwch rywbeth i'w wneud reit sydyn, neu mi fydda i'n gofyn i chi sgwennu traethawd hir yn trafod eich meddyliau!"

Gwridodd Mari fwyfwy ac ymbalfalodd yn ei bag am lyfr i'w ddarllen. Gwelodd Catrin drwy gil ei llygaid yn edrych arni ac yn chwerthin, fel pe bai hi'n gwybod yn union am beth roedd hi wedi bod yn meddwl. Doedd hi ddim am i Catrin wneud hwyl am ben ei theimladau a'i meddyliau am Alun Parri.

Doedd Mari ond wedi bod allan efo rhyw un neu ddau o fechgyn, er gwaethaf ei hunan hyder nwyfus, ac yr oedd hynny mewn disgo ysgol. Roedd un bachgen wedi mynd â hi allan am awyr iach ac, ar ôl cyrraedd cefn yr ysgol, wedi ei gwasgu yn erbyn y wal, ei chusanu yn wyllt ac ymbalfalu i fyny ei siwmper. Bryd hynny daeth atgofion am Eddie seimllyd, chwyslyd i'w meddwl a gwthiodd y bachgen oddi wrthi mewn panig. Brysiodd yn ôl i'r neuadd i nôl ei chôt a rhedodd yr holl ffordd adref.

Dro arall fe gytunodd i fynd i'r pictiwrs efo rhyw fachgen y bu'n dawnsio gyda fo mewn disgo arall tua wythnos cyn hynny. Roedd wedi ymddwyn yn berffaith yn y disgo a phan ddanfonodd hi adref. Ryw hanner ffordd drwy'r ffilm fe'i cusanodd yn dyner a'i gwasgu ato a meddyliodd Mari yn siŵr ei bod yn syrthio mewn cariad hyd nes y teimlodd ei law yn treiddio i fyny ei sgert, ei fysedd chwyslyd yn boeth yn erbyn ei chlun. Cododd oddi yno gan ei adael yn eistedd yn syfrdan a phenderfynodd yn y fan a'r lle na fyddai yn cyboli efo bechgyn plentynaidd o'i hoed ei hun eto. Fe ddisgwyliai am rywun hŷn, aeddfed. Yr adeg honno y dechreuodd Alun Parri fel athro Mathemateg yn yr ysgol.

Canodd y gloch ac aeth yn syth at ddesg yr athro. Safodd yno am ychydig tra rhuthrai'r plant eraill allan.

"Wel, Mari?"

"Roedd na un peth nad oeddwn i'n ei ddeall o gwbl ar y papur arholiad, syr."

"Wel, mi fydda i'n mynd dros y papur yn syth ar ôl i mi orffen eu marcio i gyd. Fory fwy na thebyg gan mod i bron â gorffen."

"Efallai na fydda i yma fory, syr."

"Pam felly?"

Nid atebodd, dim ond edrych i fyw ei lygaid.

"Wel o'r gorau. Eisteddwch i lawr. Beth oeddech chi ddim yn ei ddeall?"

Rhoddodd Mari y papur ar y ddesg a thynnodd y gadair yn nes at Alun Parri nes bod ei phenglin yn cyffwrdd ei glun.

"Hon, syr," meddai gan blygu ei chorff dros y papur, ei hwyneb yn agos at ei wyneb ef a'i gwallt yn tywallt dros ei fraich.

Cliriodd Alun Parri ei wddf a dechreuodd egluro'r broblem. Ymhen ychydig eisteddodd Mari yn ôl yn ei sedd, edrychodd yn syth i'w wyneb a dywedodd,

"Roedd Dilys a Gwyneth yn d'eud 'u bod nhw wedi'ch gweld chi ar daith gerdded y Clwb Ieuenctid?"

"Wel, do, rhyw dair wythnos yn ôl bellach."

"Roedden nhw'n d'eud fod Miss James yno hefyd."

"Oedd, mi roedd hi, ac mi gawson ni amser da."

Suddodd calon Mari unwaith eto a theimlodd fel

beichio crio.

"Dy'ch chi ddim yn mynd i'r Clwb, Mari?"

"Na, fydda i ddim yn lecio petha' babïaidd felly."

"O, rwy'n siwr yn byddech chi'n mwynhau eich hun."

"S'gen i ddim amser, a beth bynnag ma'n well gen i fynd i ddisgos ac i'r pictiwrs a chyfarfod y bechgyn ac ati."

"Mae 'na ddigon o fechgyn yn y Clwb."

"Dydyn nhw ddim digon hen. Ma' nhw'n blentynaidd iawn!"

Cododd Alun Parri ei aeliau ac roedd yn edifar braidd gan Mari agor ei cheg a dweud y fath gelwydd, ond roedd hi fel pe bai eisiau ymddangos yn hŷn ac yn aeddfed yn ei olwg.

"Wel, mae'n rhaid i mi fynd i gael cinio. Diolch, Mr Parri."

"Ond dydw i ddim wedi gorffen egluro'r broblem i chi, Mari."

"O dw i'n deall nawr, syr. Yn deall yn iawn."

Rhuthrodd allan o'r dosbarth gan daro Bethan James a oedd ar ei ffordd i mewn. Nid arhosodd i ymddiheuro a safodd yr athrawes i syllu'n syfrdan ar ei hôl.

Aeth Bethan i mewn i'r dosbarth at Alun.

"Beth oedd yn bod arni hi?"

"Wn i ddim. Pam?"

"Wel, rhuthro allan o'r dosbarth fel 'na a nharo i'r llawr bron heb unrhyw ymddiheuriad."

"Gofyn i mi egluro ychydig o waith iddi wnaeth hi. Ew, mae hi'n ferch od, cofia. Mae'n ceisio rhoi'r argraff ei bod yn aeddfed iawn, wedi hen ffeindio ei ffordd drwy'r byd. Ond gelli di weld mai ffug ydy'r cyfan. Merch fach ddiniwed ydy hi, mae'n amlwg."

"Ia, debyg. Ond rhaid i ti gyfaddef ei bod hi'n arbennig o dlws a bod ganddi yfflwn o gorff siapus o'i gymharu â merched eraill o'r un oedran."

"Oes. Wyddost ti beth oedd hi eisiau ei wybod? Eisiau gwybod os buost ti a fi ar y daith gerdded 'na efo'r clwb ieuenctid. Rhyw enethod o'r ysgol 'ma ymhlith y criw ac heb aros i sychu eu cegau cyn dweud wrth eu ffrindiau."

"Ddeudist ti wrthi?"

"Wel do. Doedd dim pwynt celu'r peth."

"Dyna ti, felly."

"Beth?"

"Dy ffansïo di mae hi."

"Paid â bod yn wirion." Gwridodd Alun. Doedd o ddim am i Bethan wybod ei fod wedi amau hynny yn barod nac ychwaith am yr effaith a gâi Mari Watcyn arno.

Wrth ei weld yn gwrido dywedodd Bethan yn ddifrifol, "Bydd yn ofalus, Alun, bydd yn ofalus iawn."

Chwarddodd Alun i ysgafnhau y sgwrs.

"Beth bynnag am hynny. Wyt ti'n ffansïo dod allan heno: mae'r criw yn mynd i'r lle *Pizza* newydd yn y dref ac yna am ryw beint neu ddau?"

"O'r gorau. Faint o'r gloch?"

"Fe alwa i amdanat ti tua saith."

"Fe ddalia i'r bws os ydy hynny'n haws."

"Paid â rwdlan. Bydd yn barod am saith."

"O'r gora'. Tyrd, fe awn am ginio. Rhyw frechdan ga' i heddiw, rwy'n meddwl."

"A finna'. Mae'n nhw'n dweud fod y *pizzas* yn anferth yn y lle newydd 'ma. Byddai'n beth ffol iawn i fynd yno ar stumog lawn."

Chwarddodd y ddau wrth fynd allan o'r dosbarth a pharaent i sgwrsio'n ysgafn wrth gerdded i fyny'r coridor. Ni sylwodd yr un o'r ddau ar Mari Watcyn yn eistedd yn yr ystafell gotiau wrth iddynt basio.

Wedi cyrraedd Porth Helyg bu Denise yn eistedd am ychydig ar y creigiau uwchben y môr cyn mentro lawr y llwybr troellog i'r bae. Doedd neb o gwmpas ond, erbyn meddwl, roedd hi braidd yn gynnar. Dim ond hanner awr wedi deg oedd hi nawr. Roedd hi wedi aros mewn pentref bach ar y ffordd i brynu llyfr, sbectol haul ac ychydig o fwyd erbyn cinio. Edrychodd allan i'r môr. Ni flinai fyth ar yr olygfa. Bae eithaf bychan ydoedd wedi ei gysgodi gan greigiau ar bob tu. Arweiniai llwybr i lawr iddo wedi ei dorri ers blynyddoedd maith gan olion ymwelwyr fel hi yn ceisio seibiant am ychydig oriau. Roedd y môr bob amser yn wyllt yma, yn taro yn ddi-drugaredd yn erbyn y creigiau ac fel petai yn cael ei wasgu o bob ochr i ffurfio berw mawr yn y canol. Dywed rhai nad oedd yn lle diogel iawn i nofio gan ei fod ar oledd. Byddai'n hawdd iawn cael eich sugno i'w berfeddion gyda'r trai. Ar ben y creigiau, lle'r eisteddai Denise, tyfai glaswellt îr ac ymestynai caeau ffrwythlon o'r tu cefn iddi. Ar wyneb y graig tyfai blodau yn glwstwr yma ac acw a dywedai rhai arbennigwyr na welid eu bath yn unman arall ym Mhrydain. Doedd dim llawer o dywod ar y traeth ei hun, yn enwedig pan fyddai'r llanw'n uchel; diolchai Denise am hynny am ei fod yn cadw ymwelwyr draw yn yr haf. Cododd ei phen at yr haul. Gwnâi'r awel gynnes ar ei hwyneb iddi deimlo'n braf ac ymlaciodd yn llwyr. Bu'n darllen am ychydig ac wedyn penderfynodd fynd am dro ar ben y creigiau hyd at y trwyn pellaf. Tynnodd ei hesgidiau a cherddodd yn droednoeth yn y glaswellt. Teimlai bob gwelltyn rhwng bysedd ei thraed a cherddodd felly am amser maith, ei phroblemau ymhell o'i meddwl.

Pan ddychwelodd at y car synnodd ei bod yn amser cinio. Bwytodd y frechdan gig a'r ffrwythau ac yna eisteddodd a'i chefn yn erbyn drws y car a chaeodd ei llygaid am ychydig. O mor braf oedd hyn! Tawelwch hyfryd byd di-ofalon. Pam na allai ei bywyd fod mor hamddenol â hyn bob dydd. Teimlai'n ifanc unwaith eto, fel pe bai'r awel a'r llanw wedi cario ymaith ei holl drafferthion.

Penderfynodd gerdded i lawr at y traeth. Doedd neb o gwmpas ond rhoddodd glo ar ddrws y car a rhoi'r allwedd ym mhoced ei sgert gotwm, rhag ofn. Chwarddodd wrth feddwl am ymateb Dafydd pe bai yn ei ffonio i ddweud fod rhywun wedi dwyn y B.M.W.! Cerddodd yn bwyllog i lawr y llwybr. Nid oedd ei sandalau *Bally* y pethau callaf i'w gwisgo ond nid oedd am eu tynnu rhag ofn torri ei hun ar yr haenau bach o graig a godai eu pennau drwy'r pridd caled yma ac acw. Cyrhaeddodd y gwaelod yn ddiogel a cherddodd yn droednoeth unwaith eto gan gamu o un garreg i'r llall. Brifai y rhain ei chroen tyner ac roedd yn falch o gyrraedd y cerrig mân er nad oedd y rhai hynny yn llawer esmwythach.

Cerddodd am ychydig gan edrych allan dros y môr ac yr oedd yn edifar ganddi na fyddai wedi dod â'i gwisg nofio. Ni fyddai wedi nofio ymhell, dim ond trochi yn agos i'r lan gan adael i'r tonnau olchi dros ei chorff a chael gwared o'r haenau olaf o densiwn oddi arni. Ond doedd na neb o gwmpas beth bynnag. Pam lai? Rhoddodd ei sandalau i lawr a thynnodd ei sgert a'i blows dan chwerthin. Fyddai dim ots pe byddai'n gwlychu ei phais a'i dillad isaf. Gallai eu tynnu yn y car a dim ond gwisgo ei sgert a'i blows i fynd adref. Byddai ei chymdogion a ffrindiau Dafydd yn gwgu pe baent yn ei gweld yn awr. Mrs Morgan-Puw barchus yn y môr yn ei dillad isaf! Chwarddodd yn uchel a rhedodd i'r môr. Roedd yn oer iawn i ddechrau ac yn dal ar ei gwynt ond ni throdd yn ôl. Cyrhaeddodd y dŵr at ei phengliniau a safodd am funud i gynefino â'r oerni ac yna cerddodd ymlaen.

Hoffai bob amser gerdded hyd nes bod y dŵr yn cyrraedd at ei bronnau ac yna plymio i mewn i'w ddyfnderoedd. Teimlai'n braf iawn yn awr, y tonnau yn curo yn erbyn ei chluniau a'i phais yn glynu at ei chroen. Cyrhaeddodd at ei phen ôl ac aeth ias rhyfedd drwy'i chorff wrth deimlo'r gwlypder yn taro rhwng ei choesau. Ymhellach eto, a'r dŵr at ei gwasg y tro hwn. Ton uchel yn ei tharo oddi ar ei thraed bron ac yn ei gwlychu drosti. Caledai blaenau ei bronnau a theimlodd fel pe bai ei chalon yn methu curiad. Ychydig o lathenni eto a byddai'n plymio i mewn.

Ni welodd y bachgen ac ni chlywodd mohono hyd nes iddo godi o'r dyfnderoedd wrth ei hochr.

"Ydych chi'n iawn?"

Gwelodd yr ofn yn ei lygaid a theimlodd yn ddig wrth sylweddoli cynnwys ei feddyliau.

"Ofn mod i'n mynd i ddifa'n hun oeddech chi?" yn chwyrn.

"Dim ond gweld y'ch bod chi'n iawn."

Fflachiai ei llygaid mewn tymer at ei haerllugrwydd.

"Nid pawb sy'n cario gwisg nofio o gwmpas efo nhw bob amser!"

"Mae'n ddrwg gen i." Cerddodd oddi wrthi tua'r lan ac edrychodd arno'n mynd. Bachgen ifanc ydoedd, ieuengach na hi o flynyddoedd, fe dybiai. Roedd yn eithaf tal gyda gwallt golau a llygaid glas.

Plymiodd Denise i'r dŵr a bu'n nofio am ychydig. Ond doedd dim o'r un hwyl yn awr. Trodd yn ôl tua'r lan. Eisteddai'r bachgen ar y tywod yn sychu'r rhan uchaf o'i gorff â lliain lliwgar. Gwyddai Denise fod amlinelliad ei chorff i'w weld yn glir oddi tan y dillad isaf gwlyb ond ni allai wneud dim am hynny. Cerddodd ato a safodd yno gan daflu cysgod dros ei gorff.

"Mae'n ddrwg gen i."

Edrychodd arni.

"Mae'n ddrwg gen i fod mor gas, ond mi rown i'n mwynhau fy hun heb neb i darfu ar fy mreuddwydion."

"Gweld y'ch dillad chi wnes i a chithau'n cerddded yn araf i'r môr; dim fel rhywun yn mynd i nofio."

"Hen arferiad er yn blentyn."

Eisteddodd i lawr wrth ei ochr. Golchai'r tonnau mân dros eu traed a chilio'n ôl gan adael iddynt suddo yn y tywod. Yn ôl a blaen, yn ôl a blaen.

"Tecwyn ydw i."

"Denise."

"Doeddwn i ddim yn disgwyl gweld neb yma."

"Na finna'."

Dechreuodd Denise grynu wrth i'r awel sychu'r gwlypder oddi arni."

Taenodd y bachgen y lliain dros ei hysgwyddau.

"Sychwch eich hunan."

Ufuddhaodd hithau gan rwbio ei hun yn ysgafn a gwasgu cudynnau ei gwallt yn y meddalwch lliwgar.

"Mi fydda i'n dod yma'n aml pan fydd gen i ddiwrnod i ffwrdd o'r gwaith," meddai Tecwyn.

"Fues i ddim yma ers blydyddoedd," atebodd hithau.

"Pam heddiw?"

"Ceisio seibiant bach oddi wrth bawb a phopeth." Synnodd ati hi ei hun yn ymateb mor hawdd i'w gwestiynau.

Gwridodd yntau.

"Ddylwn i ddim fod wedi'ch styrbio chi."

"Na, mae'n iawn. Gallai'n hawdd fod wedi bod yn argyfwng."

"Arnoch chi?"

Edrychodd arno ond nid atebodd. Cododd ar ei thraed.

"Rhaid i mi fynd nawr. Diolch am fenthyg y lliain."

"Cadwch o, rhag ofn i chi ddal annwyd."

"Na, wir."

"Ie. Cewch ei ddychwelyd i mi eto. Rwyn gweithio yn y Clwb Ieuenctid yn y dref. Arweinydd llawn amser."

"Na. Mae'n well gen i beidio. Fydda i ddim yn hir yn cerdded at y car ac fe newidia i yno."

"Os ydych chi'n siwr."

"Ydw, diolch."

Safodd yn edrych arno am eiliadau.

"Wel hwyl, ynte, a diolch."

"Hwyl i chi, ac rwy'n ymddiheuro unwaith eto."

"O, anghofiwch o."

"Fe geisiai i," atebodd gan edrych ym myw ei llygaid.

Cerddodd yn gyflym oddi wrtho, cododd ei dillad ac ymbalfalodd dros y cerrig at y llwybr.

Edrychodd Tecwyn arni'n mynd, ei chorff eiddil fel plentyn yn cilio oddi wrtho. Mae'n siwr ei bod hi flynyddoedd yn hŷn nag ef ond roedd yna ryw ddiniweidrwydd o'i chwmpas. Trodd yn ôl i edrych allan i'r môr a rhyw deimlad rhyfedd wedi cyffwrdd ei galon.

Pan gyrhaeddodd Denise y car yr oedd allan o wynt yn llwyr. Newidiodd yn sydyn a phan edrychodd i lawr i'r bae yr oedd ef yn dal i eistedd yno. Lluchiodd ei dillad gwlyb i'r gist a gyrrodd y car yn swnllyd oddi yno. Pan gyrhaeddodd Caerau sylweddolodd nad oedd hi'n ymwybodol o gwbl o'i thaith hir gartref, dim ond o wyneb ifanc y bachgen yn dawnsio o flaen ei llygaid.

Gyrrodd Dafydd yn gyflym i'r gwaith, yr MR2 fel wennol yn ei ddwylo. Yr oedd wedi hen ddiflasu ar Denise yn grwgnach, yr un hen dôn yn byrlymu o'i cheg. Trip busnes oedd y bwriad oddi ar y dechrau gyda rhyw seibiant bach yma ac acw i ymlacio. Byddai Denise wedi disgwyl iddo ei hebrwng hyd y lle a gwrando ar ei sgwrs ddiflas a'i chwyno beunyddiol. Ond yn awr efallai y byddai newid ar y cynlluniau. Er gwell, gwenai wrtho'i hun. Ni feddyliodd o gwbl y byddai Howard a Lisa wedi dangos cymaint o ddiddordeb yn ei gynlluniau, a daeth y syniad o wahodd Lisa i Sbaen fel fflach hyfryd ar ei ran. Nid oedd hi'n fodlon hyd yn oed ystyried y peth ar y dechrau. Ofn tarfu ar Denise. Llwyddodd yntau, gyda'i sgwrs swynol, i'w darbwyllo i ymddangos fel pe bai wedi bod yn erfyn ar ei wraig i ymuno ag ef, ond yn ofer oherwydd anhwylder iechyd ei thad. Gwyddai na fychanai Denise ei hun drwy ddweud i'r gwrthwyneb. Pwysleisiodd hefyd mai trip busnes fyddai hwn ac y byddai Colin ac ysgrifenyddes yn mynd hefyd. Drwy berswâd ar ei ran ef a Howard y cytunodd Lisa i feddwl dros y fenter.

Ni allai Dafydd yn ei fyw beidio â meddwl am Lisa y dyddiau yma. Er ei fod yn ei hadnabod ers dros bymtheg mlynedd, ac wedi cael ei ddenu ganddi o'r dechrau megis, yr oedd rhywbeth yn wahanol yn eu perthynas yn ddiweddar. A oedd hi'n fwy chwareus yn ei gwmni; yn tynnu arno? Anodd dweud. Ond os mai dyna oedd yr ateb, pam dechrau ar y gêm honno nawr ar ôl yr holl flynyddoedd? Beth bynnag ydoedd, yr oedd hi wedi llwyddo i'w gynhyrfu a thra sylweddolai y byddai'n rhoi unrhyw beth i ddatblygu'r berthynas, yr oedd yn ymwybodol hefyd y byddai unrhyw berthynas â Lisa yn wahanol i'r llu o fuddugoliaethau rhywiol yn y gorffennol. Teimlai fel bachgen yn ei arddegau, pob rhan ohono yn deisyfu amdani, ac eto yn y cefndir llechai rhyw ofn anghyfarwydd. Sylweddolai hefyd fod a wnelo peth o'i ofn â'r ffaith ei bod hi yn ffrind gorau i'w wraig. Pe bai ef wedi cam ddeall yr arwyddion, gallai fod yn sefyllfa annifyr iawn. Penderfynodd ffonio Pauline ar ôl cyrraedd y swyddfa i geisio trefnu oed i gael gwared o'i rwystredigaethau.

Ar ddiwrnod olaf y tymor gofynnodd Bethan James i Mari fynd i'w hystafell amser chwarae. Teimlai Mari braidd yn nerfus rhag ofn ei bod yn mynd i drafod y sgwrs rhyngddi ag Alun Parri rai wythnosau yn ôl. Er bod Mari wedi cadw'n glir rhag unrhyw gysylltiad personol â'r athro ers hynny, teimlai ei fod wedi sôn am ei hymddygiad wrth Miss James.

Curodd yn ysgafn ar y drws.

"Dewch mewn."

Ufuddhaodd.

"O, Mari, eisteddwch. Mi fydda' i efo chi mewn eiliad."

Eisteddodd Mari gan wylio'r athrawes yn gorffen ysgrifennu llythyr.

"Dyna ni. Nawr te, mae'n debyg y'ch bod chi'n methu deall pam y gofynnais i chi ddod yma?"

"Ydw."

"Wel, rwy' wedi bod yn eich gwylio'n nofio yn ystod yr wythnosau diwethaf ac wedi gweld eich bod o safon genethod llawer hŷn na chi."

Gwridodd Mari o glywed y ganmoliaeth.

"Mae gen i ffrind yn dysgu ymarfer corff yn yr ysgol breswyl ac mae hi'n awyddus iawn i drefnu tîm ar y cyd rhwng y ddwy ysgol."

"Ni a'r crach, felly."

Anwybyddodd Miss James y sylw.

"Mae hi'n awyddus hefyd i weld cysylltiad rhwng y ddwy ysgol. Mae gen i ddwy ferch o'r chweched mewn golwg ac mi faswn i'n hoffi i chi roi cynnig arni hefyd."

"Wn i ddim."

"Meddyliwch am y peth—mi fyddai'n golygu dechrau ymarfer yn ystod gwyliau'r haf, wrth gwrs, ond rwy'n siŵr y byddai o fudd i chi."

"Ga' i weld."
"Gadewch i mi wybod cyn diwedd y dydd."
"O'r gora'."
"Dyna ni 'ta. Diolch, Mari."
"Diolch, Miss James."

Gadawodd Elin yr ysgol yn sŵn miri a rhialtwch y disgyblion preswyl. Pawb yn edrych ymlaen at fynd adref dros y gwyliau. Roedd ei mam wedi trefnu i'r ddwy fynd i Lundain tra byddai ei thad yn Sbaen. Byddai'n well o lawer ganddi fynd gydag ef, yn enwedig pe byddai Lisa'n mynd. Arafodd y car wrth ei hochr.
"Disgwyl y'ch mam?"
"Ia."
Yr athrawes ymarfer corff.
"Wel doedd gennych chi ddim gwaith pacio beth bynnag."
"Nag oedd."
"Hwyl i chi, Elin, a chofiwch ymarfer yn galed ar gyfer y nofio."
"O'r gora'."
"Gwyliau hapus."
"A chi," atebodd Elin.
"Hwyl!" A gyrrodd y car oddi wrthi heb i'w berchennog ddisgwyl ateb.

Eisteddai Lisa yn myfyrio uwchben gwydraid o win coch wrth un o fyrddau gwag y Bistro. Yr oedd yr olaf o'r cwsmeriaid wedi ymadael a hithau wedi ymuno â chriw bychan o ffrindiau yno heno gan y teimlai'n unig yn y fflat. Roedd Howard yn brysur yn y gegin, wedi ei gadael i'w meddyliau. Gallai Lisa weld wyneb ei mam yn glir yn ei meddwl a chofiodd am y wraig synhwyrol, gall honno gyda hiraeth. Y peth pwysicaf ym mywyd ei mam oedd ei dwy ferch. Byddai bob amser eisiau'r gorau iddynt, fel pob mam arall mae'n debyg, ond gallai Lisa weld yn awr ryw obsesiwn, bron, yn ei nod. Cofiai Lisa ei mam yn dweud wrthi, ar fwy nag un achlysur, am benderfynu ar ei llwybr mewn bywyd a'i ddilyn yn ddi-ildio gan afael ymhob cyfle yn dynn, dynn. Wrth edrych o gwmpas y Bistro llewyrchus, ac ar ei dillad chwaethus sylweddolodd Lisa ei bod wedi gwireddu breuddwyd ei mam.

Ond doedd hi ddim wedi bwriadu ildio i Dafydd ar y dechrau. Oedd, roedd hi'n ei ffansïo erioed ond yr oedd y ffaith ei fod yn ŵr i'w ffrind gorau yn ei rhwystro rhag gwneud yr un symudiad pellach. Ni allai ddirnad beth oedd wedi digwydd yn ddiweddar, ond roedd y ddau ohonynt fel pe baent yn gweld ei gilydd o'r newydd. Roedd yn rhaid iddi gyfaddef hefyd ei bod hithau yn berson eithaf hunanol, yn enwedig dros y blynyddoedd diwethaf, a'i bod yn ei phlesio ei hun yn anad dim.

Tywalltodd wydraid arall o win iddi ei hun dan wenu. Ni allai roi'r bai ar y gwin yn Sbaen am yr hyn a ddigwyddodd rhyngddi a Dafydd. Gwyddai i raddau cyn cychwyn yno y byddent wedi dod yn gariadon, a dyna pam y bu mor hir cyn penderfynu mynd ar y daith. Gwyddai hefyd cyn cychwyn, wrth feddwl am y fenter, y byddai hi'n mwynhau pob eiliad o fod yn ei gwmni, ddydd a nos. Roedd hi wedi clywed llawer dros y blynyddoedd am anturiaethau carwriaethol Dafydd Morgan-Puw. Byddai pawb o'i ffrindiau yn ei galw'n ffŵl ond hoffai Lisa ochr gyffrous bywyd a gwyddai'n iawn os na fyddai hi wedi neidio i'w wely y byddai rhywun arall yn siŵr o wneud. O leiaf roedd cysylltiad rhyngddynt ers blynyddoedd, bron fel cwlwm teulu. Ceisiodd gyfiawnhau ei meddyliau drwy gysuro ei hun fod hyn yn gwneud y sefyllfa yn well, nid gwaeth. Cyn belled â'i fod yn digwydd heb i Denise ddod i wybod. Wedi'r cwbl byddai Dafydd yn siŵr o flino arni hithau, yr *'affair'* diweddaraf, cyn bo hir. 'O pam ddiawl dwi i'n poeni,' meddai wrthi ei hun, y gwin yn cael ei effaith. 'Mi dw innau'n haeddu cysur a hwyl weithiau.'

Gadawodd y gwydr ar y bwrdd ac aeth drwodd i ddweud wrth ei gŵr ei bod yn mynd adref.

Gwenodd Denise wrthi ei hun gan ysgrifennu rhestr o enwau ar ddalen o bapur. Roedd ei meddwl ymhell o'r enwau gwesteion a nodai ar gyfer y parti yn Caerau. Meddwl am Tecwyn Roberts yr oedd hi a'r cyfeillgarwch a oedd yn datblygu rhyngddynt. Wedi'r diwrnod ym Mhorth Helyg yr oedd Denise wedi bod yn meddwl llawer amdano a phenderfynodd yn sydyn ymhen rhyw wythnos wedyn i dalu ymweliad ag ef pan oedd hi yn y dref. Ni allai yntau guddio'i lawenydd pan y'i gwelodd yn nrws y Ganolfan Ieuenctid lle gweithiai. Dechreuasant sgwrsio fel hen ffrindiau.

Ni soniodd Denise wrth Dafydd am Tecwyn. Doedd dim i'w guddio ac ni fynnai Denise i'w cyfeillgarwch ddatblygu'n rhywbeth oedd angen ei gadw ynghudd beth bynnag; ond gwyddai y byddai Dafydd yn siŵr o gamddeall y sefyllfa. Mwynheuodd sgwrs a phaned hefo Tecwyn ac addawodd alw i'w weld o bryd i'w gilydd pan fyddai hi'n siopa. Yr oedd hi wedi cadw at ei gair ar fwy nag un achlysur ers hynny.

Trodd Denise yn ôl at ei gorchwyl yn awr o wneud yn siŵr fod y rhestr gwesteion at y parti yn gyflawn. Roedd yn rhaid iddi hi gyfrif pwy oedd wedi derbyn a sawl un oedd yn methu dod. Roedd hwn yn barti pwysig i Dafydd ac roedd Denise yn awyddus i bopeth fynd yn hwylus. Cododd at y sinc i wneud paned arall iddi ei hun. Âi oriau heibio eto cyn i Dafydd gyrraedd adref.

Teithiodd Mari adref ar y bws wedi awr galed o ymarfer nofio. Ni fynnai Catrin fynd gyda hi ac roedd Mari'n ddiolchgar â dweud y gwir gan mai ond tynnu ei sylw a fyddai ei ffrind, yn ceisio gwneud iddi edrych ar ryw fechgyn neu'i gilydd byth beunydd. Roedd y pwll nofio'n eithaf gwag, pawb eisiau bod allan yn yr awyr iach, debyg, a hithau mor braf. Roedd un ferch arall yn y pwll, yn ymddangos fel ei bod hithau hefyd yn ymarfer. Byddai Mari wedi sgwrsio â hi oni bai ei bod yn ymbellhau bob tro y nesai Mari tuag ati. Edrychai'n swil iawn ac ar ôl ychydig penderfynodd Mari nad oedd y ferch eisiau siarad a chanolbwyntiodd ar ei hymarfer. Datblygodd math o rasus bychain rhyngddynt ar hyd y pwll heb i'r un ohonynt ddweud gair wrth y llall. Gallai Mari weld fod y ferch yn nofwraig gref er y gallai gadw gyda hi, a'i phasio hefyd ambell dro. Weithiau peidiai'r ferch â nofio'n gyflym pan ddeuai Mari'n agos fel pe bai hi'n ofni'r gystadleuaeth. Gadawodd y ferch y pwll ymhen rhyw awr a dilynodd Mari hi i'r ystafell newid ymhen rhyw bum munud wedyn.

Pan ddaeth Mari allan o'r gawod roedd y ferch arall wrthi'n siarad efo dwy o enethod eraill a oedd newydd gyrraedd. Meddyliodd Mari ei bod wedi ei gweld o'r blaen ond ni allai feddwl ymhle. Gwelodd Mari hi'n taflu cipolwg brysiog i'w chyfeiriad ond ni ddywedodd air, dim ond gwrido rhyw ychydig. Doedd hi ddim yn ferch ddel iawn. Ymddangosai'n swil o'i chorff cyhyrog, braidd yn wrywaidd, ac roedd hi i'w gweld yn nerfus mewn cwmni.

Wrth iddi hi ymadael clywodd Mari un o'r

merched eraill yn dweud,

"Wela i di eto, Elin."

Dyna ei henw hi felly. Tybed a fyddai hi yn y pwll nofio eto? Trueni ei bod hi'n amharod i rasio rhyw lawer. . . Byddai ychydig o gystadleuaeth wrth fodd Mari.

Arafodd y bws wrth nesáu at gornel y stryd a chododd Mari ei chorff lluddedig oddi ar y sedd. Edrychai ymlaen at gael cyrraedd adref, yn enwedig gan nad oedd Eddie o gwmpas. Gallai ymlacio yn ei gŵn nos cyn troi am ei gwely, heb ofn yn y byd.

Pennod 4

Safai Dafydd ar y patio yn edrych dros yr ardd. Disgleiriai dŵr y pwll nofio yn wyneb machlud haul Medi. Teimlai Dafydd yn dda iawn wrth fwynhau gwydraid o win cyn i'r gwesteion gyrraedd. Ei syniad ef oedd y parti yma; parti i ddathlu ei lwyddiant yn y fenter brynu tai yn Sbaen. Erbyn hyn yr oedd wedi denu naw o bobl i fuddsoddi yn Villas Elidas ac roedd eraill yn dangos cryn dipyn o ddiddordeb.

Daeth Denise allan o'r tŷ a Mrs Williams wrth ei chwt yn cario llond powlen fawr o salad.

"Rhowch o ar ganol y bwrdd yn y gornel, Mrs Williams," meddai Denise gan edrych yn boenus dros y byrddau bwyd.

"Mae popeth yn edrych yn ardderchog, Denise," meddai Dafydd. Camodd at ei wraig a rhoi cusan ysgafn iddi ar ei grudd. "Mae heno yn noson bwysig i mi. Noson o dathlu, noson o ddiolch i'm cydweithwyr, a hefyd noson o sefydlu'r fenter yn swyddogol. Diolch i ti." Gwenodd arni, ond cyn iddi gael cyfle i ymateb torrodd Elin ar eu traws.

"Oes rhaid i mi aros i'r parti 'ma?"

"Oes, wrth gwrs," atebodd Denise. "Rhaid dangos dy fod yn cefnogi dy dad."

"Ond does 'na neb o'r un oed â fi yn dod!"

"Mi gei di gadw cwmni i Lisa. Dy'n ni ddim eisiau iddi hi fod yn unig gan nad yw Howard yn dod gyda hi. Nag oes, Dafydd?"

Edrychodd Dafydd ar ei wraig ond nid atebodd.

Gwelodd yr amheuaeth yn ei llygaid a throdd oddi wrthi.

"O, o'r gorau," meddai Elin. "Caiff Lisa adrodd hanes ei gwyliau efo dad yn Sbaen. Mae hi'n un dda am ddweud straeon."

Ni sylwodd Elin ar yr edrychiad rhwng ei rhieni a rhedodd at y drws blaen pan ddywedodd Mrs Williams fod Mrs Smythe wedi cyrraedd.

Camodd Lisa ar y patio o'r lolfa ac edrychodd yn syth ar Dafydd. Ni ddywedodd air wrtho ac yna trodd at Denise.

"Denise. Mae popeth yn edrych yn fendigedig!"

"Wel, mae gennyt lygaid barcud o feddwl mai'r tu ôl i ti mae'r bwyd!"

Chwarddodd Lisa yn ffug gyfeillgar.

"Rhaid i ti f'esgusodi i, Lisa. Dw i ddim wedi newid eto. Gwna dy hun yn gartrefol. Rwy'n siwr y bydd Dafydd yn dy gadw di'n ddiddan. Tyrd, Elin, mae hi'n bryd i tithau newid hefyd."

Edrychodd Lisa ar y ddwy'n mynd i mewn i'r tŷ ac yna croesodd at Dafydd.

"Ydy hi'n amau rhywbeth?"

"Wn i ddim. Ond, ta waeth. Tyrd yma i mi gael gafael ynot ti." Gafaelodd Dafydd ynddi a'i chusanu'n dyner ar ei gwefusau. "Dyna welliant. Ti'n edrych yn fendigedig."

Gwisgai Lisa drowsus gwyn a blows o sidan gwyrdd tywyll. Roedd hi wedi codi ei gwallt gan y gwyddai fod ei gwddf yn edrych yn hir a llyfn yn steil coler Mandarin y flows. Hefyd cofiai Dafydd yn dweud mai dyna'r ffordd yr hoffai ef ei gwallt, wrth iddo dynnu'r pinnau ohono a rhedeg ei fysedd drwyddo ac i lawr ei chefn noeth.

"Rhaid i ni fod yn ofalus, Dafydd. Dy'n ni ddim eisiau stŵr, dim heno beth bynnag."

"Nag oes, rwyt ti'n iawn. Edrych, mae Gareth a

Lorna wedi cyrraedd. Tyrd i mi dy gyflwyno di."

Wrth gerdded gyda Dafydd at y gwesteion eraill, teimlai Lisa yn euog iawn. Roedd hi'n gas ganddi dwyllo ei ffrind gorau ac roedd ofn arni hi wrth glywed y tinc anghyfarwydd yn llais Denise. Ni fynnai hi ei brifo am y byd.

Gwisgodd Denise amdani ei hun yn ofalus, ond edrychiad poenus oedd ar ei hwyneb. Roedd ei chorff yn brifo o achos yr holl dyndra; y craffu, y gwrando ar bob gair a'r amheuaeth. Ni allai fod yn siŵr, ac eto ar brydiau roedd yn hollol, hollol sicr. Dafydd a'i ffrind gorau? Roedd y peth yn erchyll. Clymodd y gadwyn aur am ei gwddf, tarodd y brws drwy ei gwallt, ac irodd y minlliw dros ei gwefusau. Dyna hi'n barod. Fe âi i lawr y grisiau yn syth. Doedd hi ddim eisiau aros yn yr ystafell wely yn hwy nag oedd angen. Pan oedd ar waelod y grisiau gallai weld y patio drwy ddrws agored a ffenestr y llyfrgell. Safai Dafydd a Lisa yno yn sgwrsio ac yn chwerthin gyda Gareth a Lorna. Edrychai'r ddau yn hollol gartrefol, a throdd y gyllell yn ddyfnach yn ei chalon.

Cyrhaeddodd Colin a Tecwyn yng nghar Colin gan ei fod ef yn gyfarwydd â'r ffordd i Caerau. Trodd y Fiat bach i'r fynedfa a chafodd y ddau wledd o liw y coed rhododendron i'w hwynebu.

"R'Arglwydd mawr!" ebychodd Tecwyn pan ddaeth Caerau i'r golwg ymysg y coed. "Ddeudist ti ddim mai mewn palas oedd y parti!"

"Mae o'n hyfryd, yntydi?"

Chwibanodd Tecwyn yn isel fel ateb.

Parciodd Colin y car ar ben y rhes a oedd yno'n barod. Edrychai'n bitw o'i gymharu a'r Saab 900 Turbo wrth ei ochr.

"Ar y patio mae'r parti'n cael ei gynnal," meddai Colin, "felly fe awn ni'n syth i'r cefn."

Wrth fynd y ffordd yma caent gipolwg ar weddill y gwesteion. Rhyw ddeg ar hugain oedd wedi cyrraedd erbyn hyn a phawb yn sgwrsio'n hamddenol ac yn yfed. Cerddodd y ddau i fyny'r stepiau a arweiniai at y patio ac i gyfeiriad Dafydd a oedd yn sgwrsio â rhyw ŵr boliog, pen moel. Edrychodd Tecwyn ar y gwesteion o'i gwmpas ac yna cafodd gipolwg ar ferch eiddil mewn ffrog flodeuog liwgar wrth ymyl y bar. Arhosodd am ennyd a throdd y ferch i estyn gwydraid i'r gŵr a safai wrth ei hochr. Denise! Beth oedd hi'n ei wneud yma.

"Dyma ni, Tecwyn," meddai Colin, wrth ei dywys at ochr gŵr tal mewn siwt ysgafn olau. "Dafydd Morgan-Puw. Dafydd, dyma Tecwyn, ffrind i mi sy'n arweinydd y Clwb Ieuenctid yn y dref."

"Balch iawn o gwrdd â chi," meddai Dafydd gan ysgwyd ei law.

"A finnau chithau," atebodd Tecwyn.

"Hoffwn i chi gwrdd â'm gwraig." meddai Dafydd. Trodd i gyfeiriad y bar. "Denise, tyrd yma am funud, cariad." Cerddodd Denise tuag atynt dan chwerthin, yn amlwg wedi rhannu rhyw jôc efo'r gŵr wrth ei hochr. Fferrodd y wên ar ei hwyneb wrth eu gweld.

"Rwyt ti'n adnabod Colin yn barod, a dyma Tecwyn ei ffrind. Wn i mo'ch cyfenw?"

"Roberts. Tecwyn Roberts."

"A dyma Denise, fy ngwraig."

Sylweddolodd Tecwyn ei fod yn crynu wrth estyn ei law tuag ati.

"Braf cwrdd â chi."

"Ydy, neis iawn," mwmiodd hithau.

"Denise, mae'n rhaid i mi ddwyn Colin am bum

munud i gwrdd â chwpwl arall sydd â diddordeb yn Villas Elidas. Rwy'n addo na fydda' i'n hir. Dangos di i Tecwyn ble mae'r bar.''

Safodd y ddau yno'n syfrdan. Yn ystod yr ychydig droeon roeddent wedi cwrdd ers yr amser ym Mhorth Helyg, doedd Denise erioed wedi sôn yn fanwl am ei chartref. Roedd Tecwyn yn gwybod ei bod yn briod a bod ganddi ferch, a'i bod yn anhapus, ond ni wyddai pwy oedd ei gŵr nac am ysblander ei byw bob dydd. Ac ni fanylodd yntau erioed am ei ffrindiau chwaith.

Torrodd Tecwyn ar y distawrwydd.

''Ddeudist ti erioed.''

''Doedd o ddim yn bwysig. 'D'yw hyn ddim yn gwneud dim gwahaniaeth i'n cyfeillgarwch ni.''

Denise nerfus, swil oedd hi nawr.

''Gwraig fawr yn cymysgu efo'r plebs!''

''O na, Tecwyn.''

Gwelodd ei fod wedi ei brifo, ond cyn iddo allu ymddiheuro cyraeddasant y bar a daeth rhai eraill o'i ffrindiau i siarad â hi.

Eisteddai Elin ar y stepiau a arweiniai i'r ardd. Roedd yn gas ganddi achlysuron fel hyn. Pawb yn sefyll o gwmpas yn siarad yn ffals â'i gilydd, y merched i gyd yn cymharu'r gwisgoedd yn eu meddyliau a'r dynion i gyd yn cymharu'r merched. Doedd yna fyth neb o'r un oed â hi yno, a phan fyddai'r gwesteion yn ceisio sgwrsio â hi ni wyddent beth i'w ddweud. Yr unig un a allai sgwrsio'n braf â hi oedd Lisa. Edrychodd o'i chwmpas i weld os gallai dynnu sylw ei mam fedydd. Gwelodd Lisa'n dod o gyfeiriad y tŷ gyda'i thad. Roedd hi'n falch fod y ddau yn gymaint o ffrindiau. Sylwodd Lisa arni a chroesodd tuag ati.

"Wel, wyt ti'n mwynhau dy hun?" gofynnodd wrth eistedd yn ymyl y ferch.

"Cwestiwn gwirion," oedd yr ateb.

"A beth wyt ti wedi bod yn ei wneud efo ti dy hun yn ystod y gwyliau? Wyt ti wedi cael amser da?"

"Dim felly. Mae hi wedi bod yn eitha diflas gan fod Helen wedi bod i ffwrdd y rhan fwyaf o'r amser."

"A beth am Llundain?"

"Gweddol. Doedd dim hwyliau da iawn ar mam."

"Pam felly?"

"Wn i ddim. Fel 'na bydd hi weithiau."

"Poeni am dy daid, mae'n debyg?"

"Pam felly?"

"Wel am nad ydy o'n dda."

"Mae taid yn berffaith iawn. Ar ei wyliau yn Ffrainc efo ffrindiau. Beth wnaeth i chi feddwl ei fod o'n sâl?"

"O, dy dad ddeudodd rhywbeth." meddai Lisa.

"Dyna od."

"Ie, od iawn. Falla mai fi ddaru gamddeall. Beth bynnag, beth arall wyt ti wedi bod yn ei wneud?"

"Nofio. Dw i'n ymarfer ar gyfer y tîm nofio newydd sy' wedi ei sefydlu rhyngom ni a'r Ysgol Gyfun."

"O, da iawn ti. Dalia ati."

"A sut hwyl gawsoch chi yn Sbaen?"

"Da iawn." Nid oedd Lisa eisiau ymhelaethu rhag ofn iddi ddweud rhywbeth gwahanol i'r hyn yr oedd Dafydd wedi ei ddweud.

"Mae'n debyg ych bod chi wedi cael amser gwych. Fe fyddai'n well gen i fod wedi cael dod efo chi."

"Trip busnes oedd o, Elin, dim gwyliau. Rhaid i ti fy esgusodi i nawr. Dw i eisiau cael gair efo

Barbara. Wela i di wedyn."

"O'r gorau."

Syllodd Elin arni'n mynd. Doedd dim cystal hwyliau arni hithau heno chwaith.

Gorweddai Mari ar ei gwely, ei meddwl yn byrlymu, yn llawn digwyddiadau. Roedd hi wedi cael haf bendigedig, y gorau ers blynyddoedd maith. Roedd y tŷ yn daclus, y plant yn ddel, ei mam mewn hwyliau da, a dim sôn am Eddie. Roedd perthynas eithaf clòs wedi tyfu rhyngddi hi a'i mam a phan âi allan efo hi i'r dref ni theimlai yr un cywilydd yn awr. Roedd hi wedi bod yn ymarfer yn galed ar y nofio, ei chorff bellach yn teimlo'n heini ac yn gryf. Edrychai ymlaen at ymarfer efo'r genethod eraill. Cafodd gipolwg ar Alun Parri ynghanol y gwyliau, yn pasio yn y car efo rhyw fachgen arall. Doedd dim sôn am Bethan James. Roedd ei byd bach yn eithaf cysurus am unwaith. Ond daeth diwedd ar bopeth. Diwedd ei breuddwydion hi oedd dyn bychan tew gwallt seimllyd yn cerdded i lawr llwybr yr ardd y bore hwnnw ac yn ymgartrefu fel pe bai ond wedi mynd i'r siop i nôl chwarter o de.

Roedd ei mam a hithau wrthi'n cael paned ganol bore, wedi i Mari ddychwelyd o'r pwll nofio.

"Dw i am bicio i'r stryd wedyn, Mari, ac mi gei dithau edrach ar ol y trŵps."

"Iawn. 'Drychwch, mae 'na dacsi wedi stopio y tu allan."

"Pobl ddiarth drws nesa, mwn. Blydi hel, Eddie ydy o!"

Cododd ei mam mor sydyn nes y bu bron iddi gario'r bwrdd coffi efo hi. Roedd hi wrth y drws ffrynt mewn eiliad.

Arhosodd Mari'r lle roedd hi wedi ei syfrdanu.

Clywodd y lleisiau uchel.

"'Di gwario dy bres i gyd, y diawl? Paid â meddwl dy fod ti'n cael dod 'nôl yma."

"O Glen, gwranda am funud. Gad i mi ddod i mewn."

"Dw i ddim isio clywed dy g'lwydda di'r sglyfath budur."

"Glen, pum munud, a wedyn mi â i o' ma."

"Ty'd drwodd i'r cefn, ta."

Caewyd y drws ffrynt.

"O, mae hi'n ddel yma, Glen."

"Paid â dechra' ffalsio."

Clywodd Mari'r sŵn traed yn pasio drws yr ystafell fyw, ond chododd hi ddim i gyfarch. Eisteddodd yno heb symud yn gwrando ar y mwmian isel a ddeuai o'r gegin gefn ac yn ceisio ei gorau i beidio â chrio.

Ymhen peth amser daeth ei mam i'r ystafell fyw.

"Mae Eddie yn ôl."

"Felly dw i'n gweld."

"Mae o am aros. . . am y tro, beth bynnag."

"O mam!"

"Mae o wedi addo newid, Mari." Roedd ei hwyneb yn goch a'i llygaid yn disgleirio. "Mae o am fynd i chwilio am waith ben bore fory."

Dim eglurhad o ble y daeth na pham.

"Fydda i ddim yn mynd i'r stryd rwan. Isio gwneud paned i Eddie." Gwridodd ryw ychydig. "Dos di. Dyna'r petha' sy' isio."

Gwthiodd restr i law Mari.

"A dyma'r pres—gan Eddie."

Gafaelodd Mari yn yr arian fel pe bai'n chwilboeth a'i roi yn ei phoced efo'r rhestr.

"Dos â'r plant efo chdi. Ma' Eddie wedi blino ar ôl trafeilio. Ella' yr aiff o i'r lloft am bum munud bach."

"A chitha efo fo debyg."

Nid atebodd ei mam a gwthiodd Mari heibio iddi rhag dangos y dagrau a gronnai yn ei llygaid. Gwaeddodd ar y plant o'r ardd, rhoddodd Sam yn y goits a throdd tua'r dref.

Wrth edrych yn ôl nawr edrychai popeth fel breuddwyd, fel hunllef. Nid oedd hi wedi yngan gair wrth Eddie pan ddychwelodd o'r siopau, a rhag gyrru'r cwch i'r dŵr doedd yntau ddim wedi ceisio torri'r oer. Roedd hi wedi bod yn chwarae efo'r plant drwy'r prynhawn a newydd eu rhoi yn eu gwelyau. O'r diwedd câi seibiant bach ei hun.

Clywodd sŵn traed a chwerthin isel yn dod i fyny'r grisiau; yna drws y llofft am y pared â hi yn cau yn ysgafn. Sŵn gwegian y gwely. Ni allai oddef meddwl am y cyrff yn ymbalfalu mewn chwys a gwlypder afiach. Cododd yn ddistaw a throediodd o'i hystafell ac allan o'r tŷ. Am unwaith sylweddolodd nad ei chyfrifoldeb hi oedd y plant.

Ymestynnodd Bethan James ei breichiau yn uchel, ei chefn fel bwa wrth wneud hynny. Fel cath yn union, meddyliodd Alun Parri wrth sylwi ar gyhyrau ei chorff i gyd yn cael eu tynnu'n dynn. Gallai weld siap ei hasennau yn glir, ei dwy fron yn codi'n gadarn o'r amlinelliad perffaith. Ymlaciodd ei chorff. Rhedodd Alun ei fys i lawr o'i gên rhwng ei bronnau ac yna'u hamgylchynu mewn ffigwr wyth cyn eu hanwesu'n ysgafn. Plygodd ei ben i ail adrodd y weithred â'i wefusau. Trodd Bethan tuag ato a thynnu'r gynfas dros ei gefn.

"Fyddai hi ddim yn well i ni godi?" holodd, a gwên foddhaus ar ei hwyneb.

Cododd ei ben. "Does 'na ddim byd yn galw."

"Nag oes."

Eisteddodd Bethan i fyny. Roedd awydd sgwrsio arni.

"Mae hyn yn llawer gwell na sach gysgu ar lawr caled."

"Ydy wir," cytunodd Alun; yntau, ar ei eistedd bellach, wedi synhwyro teimladau Bethan.

"Wnest ti fwynhau dy hun go iawn, Alun?"

"Do, bob munud. Yr Eisteddfod orau ers blynyddoedd. Falla bod a wnelo'r cwmni rywbeth i'w wneud â hynny," atebodd Alun yn gellweirus.

Chwarddodd Bethan. Roedd hithau wedi mwynhau ei hun. Doedd hi ddim wedi bwriadu mynd i'r Eisteddfod ond cafodd Alun hwyl dda ar ei pherswadio. Aeth Meinir ei ffrind gyda hi, ond ni fu Meinir yn hir cyn taro ar hen gariad coleg a darganfod fod ganddynt lawer iawn o bethau'n gyffredin o hyd. Yn naturiol mwynhaodd Bethan gwmni Alun ac ar ôl cyngerdd gwefreiddiol Geraint Jarman ac ambell botel o win datblygodd eu perthynas i lefel uwch.

"Roedd 'na lawer mwy o bobl ifanc i'w gweld yno 'leni," meddai Bethan.

"Chdi sy'n mynd yn hen."

"Ia, debyg. Ond roedden nhw'n ymddangos mor aeddfed. Pawb yn cysgu ar draws ei gilydd. Doedden ni ddim fel 'na."

"Oedden debyg, ond nid mor amlwg."

"Cofia di, mae pobl ifanc heddiw yn fwy aeddfed."

"O! clywch ar nain yn siarad," chwarddodd Alun.

"Na wir, Alun. Meddylia di am Dosbarth Pedwar yr ysgol. Maen nhw fel 'roedden ni yn Dosbarth Chwech, yn enwedig rhai ohonyn nhw. Rhai fel Mari Watcyn."

Syfrdanwyd Alun braidd wrth glywed ei henw a

synhwyrodd Bethan hyn. Pam oedd rhaid iddi hi gynnwys Mari yn y sgwrs o hyd.

"Mi welais i hi unwaith, w'sti." Bwriodd Bethan ymlaen efo'r sgwrs.

"Be' ti'n feddwl?"

"Ei gweld hi'n noeth. Roedd hi'n crio ar un adeg ar ôl cawod am ei bod hi mor wahanol. Yn llawer, llawer mwy aeddfed yn ei chorff. Y gen'od eraill wedi ei herian, debyg."

Eisteddodd Alun yn hollol lonydd yn gwrando a rhyw dyndra wedi dod dros ei gorff.

"Wrth iddi egluro, mi ddisgynodd y lliain oddi arni a gallwn weld pob modfedd o'i chorff. Ei bronnau cadarn, esmwythder ei chroen, meinder ei gwasg a llyfnder ei bol i gyd yn arwain at goesau hirion cryf a'i benyweidd-dra yn aeddfedu rhyngddyn nhw. Mi ro'n i eisiau cyffwrdd ynddi."

Trodd Alun ei ben i edrych arni'n wyllt, y cwestiwn yn amlwg yn ei lygaid.

"Na, dim byd felly," ymatebodd Bethan yn ysgafn. "Ond mi roeddwn i'n ei gweld hi fel mae rhywun yn gweld llestri hardd, neu risial pur ar silff, a bron marw eisiau eu byseddu, eisiau teimlo eu coethder. Ond wrth gwrs, mae 'na arwydd yn 'does. Arwydd mawr mewn ysgrifen drwchus yn dweud wrthyt ar boen dy fywyd i beidio â'u cyffwrdd—neu ti fydd yn gorfod talu os gwnei di ddifrod iddyn nhw mewn unrhyw fodd."

Edrychodd Bethan ar Alun. Gallai weld gwythïen yn pwmpio'n wyllt yn ei wddf.

"Rwyt ti yn deall be' dw i'n drio'i ddweud, on'd wyt ti Alun."

"Ydw," atebodd yn ddistaw.

Chwarddodd Bethan gan godi ei hysgwyddau fel pe bai'r weithred yn diddymu difrifoldeb y sgwrs.

"Ydw i wedi llwyddo i'th gynhyrfu di?" gofynnodd.

"Naddo," atebodd Alun, gan ddiolch nad oedd Bethan yn meddu ar y gallu i ddarllen meddyliau.

"Gad i mi weld," meddai, ei llaw yn treiddio i ddyfnderoedd y cwilt. Chwarddodd yn uchel.

"O! Alun Parri barchus!" Rowliodd ei chorff yn ofalus i orwedd arno gan ei wthio'n ôl ar y clustogau. Ymatebodd yntau drwy ei thynnu tuag ato, ei fysedd yn ymbalfalu yn ei gwallt. Am un eiliad fer, fer coch oedd y gwallt a welai'n disgyn dros ei hysgwyddau.

Pan gyrhaeddodd Mari dŷ ei nain, wedi dianc rhag ei mam a Eddie, roedd y drws yn gil agored.

"Na-a-in. Fi sy' 'ma!"

"O Mari fach, tyrd i mewn," galwodd ei nain o berfeddion y gegin. "Mrs Pritchard sy 'ma yn c'al paned efo mi."

Roedd y ddwy yn eistedd wrth y bwrdd a phlatiaid o gacenni cri rhyngddynt.

"Dyma hi Mari, Mrs Pritchard. Merch Glenys. Hogan glyfar iawn."

"A pheth dlws hefyd, os ca i dde'ud," meddai Mrs Pritchard dan nodio'i phen.

Gwridodd Mari.

"Sut 'da chi?" meddai wrth yr ymwelydd.

"Da iawn diolch, mechan i. Wna i ddim o'ch cadw chi, Mrs Watcyn. Gweld fod yr hogan bach 'ma wedi dod i edrach am 'i nain."

Cododd i wneud lle i Mari.

"Mi a i allan drwy'r drws cefn, wrth 'y mod i wedi eista' ar y ffordd."

"O, o'r gora," cytunodd Esther Watcyn, "mi wela i chi eto."

"Wrth gwrs. Hwyl rwan a diolch am y baned a'r cacenni."

"Hwyl, Mrs Pritchard."

Cyn gynted ag yr oedd hi wedi cau'r drws trodd Esther Watcyn at ei hwyres.

"Mae na rywbeth wedi digwydd."

"Mae o yn 'i ôl."

"O'r nefoedd." Eisteddodd ei nain i lawr i gael ei gwynt ati. "A hithau'n wên i gyd, mae'n siŵr. Yr hen jolpan iddi. Wel, be ddeudist ti wrtho?"

"Dim byd."

"Calla dawo." Edrychodd ei nain ar Mari'n feddylgar.

"Mi 'sa'n dda gen i tasa ti'n dod yma i fyw, Mari."

"O nain, fedra i ddim. Pwy fasa'n edrych ar ôl Sam?"

"Wel mae ganddo fo fam, siawns."

"Oes. Ond un sobor ar y naw ydy hi pan ma'r dyn 'na o gwmpas."

"Wel, cadw di o'i ffordd o, beth bynnag."

"Mi wna i."

Ochneidiodd yr hen wraig ac ysgwyd ei phen. Roedd hi'n poeni am ei hwyres yn byw o dan yr un to a'r Eddie yna.

"Sut ma'r nofio'n dod ymlaen?" gofynnodd ei nain.

"Da iawn. Mi fyddwn ni'n cyfarfod â'r crach ar ôl dechrau ysgol."

"Dangos di iddyn nhw. Yli, mi a i i drws nesa i ofyn i Wil bicio i dd'eud wrth dy fam dy fod ti'n aros yma heno."

"O na, nain. Dw i ddim isio g'neud trafferth; ac efallai na chaiff o ateb."

"Dim traffarth. A ma' gan Wil ddigon o lais i weiddi o waelod grisia!"

Wedi i'w nain fynd drwy'r drws, ymestynnodd Mari am gacen gri ac edrych ymlaen at dderbyn mwythau.

Roedd y gwesteion yn dechrau ymadael â Caerau pan sylweddolodd Denise nad oedd hi wedi cael cyfle i siarad rhagor â Tecwyn. Doedd hi ddim eisiau colli cyfeillgarwch ei ffrind newydd oherwydd camddealltwriaeth. Gwelodd ef yn sefyll wrth y pwll nofio. Cerddodd tuag ato heb fod yn sicr o sut i'w gael i siarad am yr hyn a oedd yn amlwg yn ei boeni.

"Wyt ti wedi mwynhau dy hun?"

"Do, diolch. Mae ganddoch chi le moethus yma." Roedd ei ymateb yn ffurfiol a thybiai mai coegni a glywai yn ei lais.

"O, Tecwyn plîs! Paid â bod fel 'na."

"Roedd o'n dipyn o sioc, Denise."

"Mi wn i. Arna' i roedd y bai. Ond doedd o ddim yn bwysig. Dydy o ddim."

"I ti, efallai."

"Rhaid i ti gyfaddef na wnaeth yr un ohonom ni sôn am ein cefndir."

"Does gen i ddim cefndir gwerth sôn amdano i'w gymharu â hyn!"

"Cyfeillgarwch sy' rhyngddon ni, Tecwyn, dyna i gyd. Dydy 'nghartref i ddim yn amharu ar hynny."

Edrychodd arni â rhyw olwg drist yn ei lygaid.

"Rwy'n siwr na fyddai dy ŵr yn cytuno."

Trodd Denise oddi wrtho. Doedd hi ddim am iddo weld cymaint oedd sôn am Dafydd yn ei brifo.

"Dim ei le o ydy dewis fy ffrindiau i mi."

"Na thithau iddo yntau?"

Nid atebodd hi. Roedd Tecwyn wedi sylwi cymaint yr oedd Dafydd Morgan-Puw wedi troi o gwmpas Lisa Smythe drwy'r nos. I bawb a edrychai arnynt roedd yn amlwg eu bod yn fwy na ffrindiau. Teimlai Tecwyn yn ddig iawn wrtho am drin ei wraig yn y fath fodd ac wrth feddwl am hyn roedd hi'n edifar ganddo ei eiriau cas.

"Mae'n ddrwg gen i, Denise. Ddylwn i ddim bod wedi ymddwyn fel y gwnes i. Wnest ti erioed fy nhwyllo i. Roeddwn i'n gwybod dy fod di'n briod."

"Oeddet. Ond wnes innau ddim dweud y gwir yn hollol. Eisiau anghofio oeddwn i. Eisiau bod yn Denise am unwaith, nid Mrs Morgan-Puw. Mae ein cyfeillgarwch ni yn fy ngalluogi i i fod yn hollol naturiol. Mae'n ddrwg gen innau hefyd."

Edrychodd Tecwyn yn dyner arni. Gwelodd Denise yn blaen y byddai'n dda ganddo fod yn fwy na ffrindiau, ond nid dyna oedd arni hi ei eisiau. Nid oedd hi y math o berson i ruthro i mewn i berthynas rywiol hyd yn oed pe gallai anghofio ei bod yn briod. Er hyn, roedd ofn arni, ofn ei theimladau, ofn cael ei hun i mewn i sefyllfa ddi-droi'n-ôl.

Torrodd llais Dafydd ar eu traws.

"Denise, mae George a Beth yn mynd nawr. Tyrd i ddweud ffarwel!"

Trodd at Tecwyn.

"Fe ffonia i di fory, i drefnu cyfarfod. Roedd hi'n braf iawn dy weld, Tecwyn. Cymer ofal."

"O'r gorau. Hwyl nawr."

"Hwyl."

Wrth edrych arni'n mynd ac ar y wên ffals ar wyneb ei gŵr a arhosai amdani ar ben y stepiau, teimlai Tecwyn rhyw wacter mawr y tu mewn iddo.

Wedi wythnos o fod yn ôl yn yr ysgol, teimlai Mari fel pe bai hi heb gael gwyliau o gwbl. Roedd y cyfan yn edrych mor bell i ffwrdd. Doedd hi ddim gwahanol bod yn Dosbarth Pump chwaith, er bod yr athrawon yn pwysleisio'n dragywydd pa mor bwysig oedd y flwyddyn o'u blaenau. Yr un hen wynebau a'r un hen wersi. Yr unig gysur i Mari oedd mai'r un athro a'i dysgai yn y gwersi Mathemateg.

Edrychai Alun Parri yn dda iawn wedi'r gwyliau haf a theimlai Mari ei chalon yn neidio o'i lle bob tro y siaradai â hi. Teimlai'n rhyfedd iawn cyn mynd am ei gwersi Mathemateg, fel pe bai ar fin sefyll arholiad. Pe digwyddai i'r wers fod ar ôl cinio ni allai fwyta tamaid na chanolbwyntio chwaith ar sgwrsio â'i ffrindiau.

Eisteddai Mari ar ben wal y maes parcio yn awr yn disgwyl am Bethan James a'r ddwy ferch arall a oedd i fod yn y tîm nofio. Wrth eu gweld yn dod allan drwy'r drws, neidiodd Mari i lawr ac aeth tuag atynt.

"A! Mari, dyna chi," cyfarchodd Bethan James hi wrth iddi ymuno â hwy. "Anwen, Delyth, rwy'n siŵr eich bod chi'n nabod Mari." Gwenodd y ddwy arni. Doedd Mari ond yn eu hadnabod o ran eu gweld a gwenodd arnynt. Prysurodd y tair ar ôl Bethan James i'r car.

"Mi fyddwch chi'n rasio i ddechrau," meddai'r athrawes wedi iddynt gychwyn, "er mwyn i ni weld eich cryfder chi o'ch cymharu â'ch gilydd."

Roeddent yn mynd i'r ysgol fonedd am fod pwll nofio yno, un gwell na phwll y dref.

"Mi fydd y genethod eraill yn cymryd rhan yn y ras hefyd," ychwanegodd yr athrawes.

Yn y sedd flaen, edrychodd Mari drwy gil ei llygaid ar Bethan James. A oedd hon yn gariad i Alun Parri? Roedd hi'n ferch ddel iawn. Gwallt bron yn cyrraedd ei hysgwyddau wedi ei siapio ryw ychydig o gwmpas ei chlustiau. Roedd gwawr aur yn plethu drwy'r lliw melyn-frown gwreiddiol. Tebyg ei bod wedi talu'n ddrud mewn siop drin gwallt am y driniaeth. Syllodd Mari orau y gallai ar ei gwefusau. Gwefusau o siap bwa a lliw pinc iach arnynt. Dychmygai hi yn ei gusanu, ei llygaid llwydlas ynghau a'i bysedd hirion a afaelai yn dynn yn y llyw yn anwesu ei gorff.

Cyraeddasant yr ysgol fonedd ac arweiniodd Bethan James hwy'n syth i'r pwll. Fe'u croesawyd gan yr athrawes arall a dangosodd iddynt ble i fynd i newid. Roedd ei genethod hi yno'n barod ac fe'u cyflwynodd iddynt.

"Dyma'r genethod o ysgol y dref. Delyth, Mari ac Anwen; Nerys, Gwawr ac Elin. Brysiwch i newid nawr i ni gael dechrau."

Gwenodd y genethod yn swil ar ei gilydd a meddyliodd Mari fod wyneb un ohonynt, Elin, yn gyfarwydd iddi. Roedd y ferch yn syllu arni hithau hefyd fel pe bai yn meddwl yr un peth. Doedd Mari ddim am fentro siarad â nhw yn gyntaf rhag ofn iddi gael ei hanwybyddu.

Dechreuodd Anwen sgwrsio drwy holi'r gweddill pa ddull o nofio oedd orau ganddynt. Mewn dim yr oeddent wedi newid ac yn cerdded drwodd at y pwll. Sylwodd Mari fod y ferch yn dal i syllu, a gwenodd arni. Gwenodd hithau'n ôl yn gyfeillgar. Wrth i Mari glymu ei gwallt a'i wthio i mewn i'r cap nofio daeth Elin ati.

"Dw i wedi'ch gweld chi o'r blaen," meddai. "Ym mhwll nofio'r dref unwaith, ac yn cerdded i'r ysgol."

Wrth glywed hyn cofiodd Mari yn sydyn ble gwelsai hi cyn y diwrnod yn y pwll nofio.

"Y ferch yn y B.M.W.coch!"

"Ie. Mam fydd yn mynd â fi i'r ysgol. Mi sylwes i ar eich gwallt chi. Mae o'n fendigedig."

Meiriolodd Mari wrth glywed cyfarchiad addfwyn yr eneth swil yma, a meddai,

"Dw i'n meddwl y buasai'n well i ti beidio ngalw i'n 'chi', yn enwedig os ydyn ni am fod yn ffrindiau.''

Chwarddodd Elin dan gochi hyd at ei chlustiau.

''O'r gorau,'' atebodd.

Ar hyn, galwodd Bethan James ar iddynt fynd i'w safleoedd ar y blociau.

''Cofiwch mai pedair ohonoch chi fydd yn y tîm terfynol, a dwy *reserve*. Dim ond rhagbrawf ydy hwn heddiw felly peidiwch â phoeni'n ormodol.''

Roedd Gwawr ar y naill law i Mari ac Elin ar y llall.

''Dyna ni, byddwch yn barod, un. . . dau. . . Ewch!''

Trawodd Mari'r dŵr yn esmwyth a theimlai ei phen fel pe bai'n llawn gwlân meddal nes iddi dreiddio i'r wyneb. Roedd hi'n falch o gael cyfle i nofio'r dull rhydd gan fod cryfder yn ei breichiau. Teimlai ei chorff yn symud fel cyllell drwy'r dŵr meddal. Roedd hi'n ymwybodol fod Elin yn agos ar y dde iddi, ond ni theimlai bresenoldeb Gwawr ar yr ochr arall. Ymlafnai ei breichiau yn eu blaenau, ei phen ai gwddf yn gweithio'n gyfatebol. Ciciai ei choesau cryfion yn rhythmig a theimlai gyhyrau ei gwasg a'i phen ôl yn gweithio'n galed. Bron â chyrraedd yr ochr arall ac Elin yn dal ar ei sodlau. 'Dyna ni, troi yn awr,' meddyliodd. Roedd hi'n dechrau blino a dangoswyd hyn yn ei thro blêr. Collodd ychydig eiliadau a theimlai fod Elin yn ei dal i fyny. Cynhyrfwyd ychydig mwy ar wyneb y dŵr wrth i Elin ei phasio.

'Damia' meddyliodd Mari, 'rhaid i mi fynd ar ei hôl hi.'

Gweithiodd ei chorff yn galetach ond er gwaethaf yr ymdrech gallai weld coesau Elin yn glir iawn o'i blaen.

'Unwaith eto,' meddai wrthi ei hun, gan wneud un ymdrech olaf, ond yn ofer. Gwelai fraich Elin yn ymestyn allan i daro'r ochr fel yr oedd hi'n cyrraedd at ei thraed. Wedi cael ei gwynt ati trodd at y ferch ar y dde iddi.

"Llongyfarchiadau. Roeddet ti'n nofio'n dda iawn."

"Diolch. Lwc, mae'n debyg," atebodd Elin.

"Naci wir, rwyt ti'n nofiwr cryfach o lawer na fi; roeddet ti'n haeddu ennill. Mi allwn i weld hynny yn y pwll nofio ddechrau'r gwyliau."

"Diolch." Cochodd Elin unwaith eto wrth dderbyn y ganmoliaeth.

"Welais i monot ti yn y pwll nofio wedi hynny," meddai Mari.

"Naddo," atebodd Elin. "Mae gynnon ni bwll nofio yn yr ardd nawr."

Gwelai Mari fod Elin yn teimlo'n annifyr wrth ddweud hyn ac nid ymhelaethodd.

Erbyn hyn roedd pawb wedi cwblhau'r ras.

"Dyna ni, gen'od," meddai athrawes Elin, "cewch ymlacio nawr cyn ymadael. Elin, Mari, Delyth, Nerys, Gwawr ac Anwen. Dyna'r drefn heddiw. Cofiwch, bydd dwy neu dair ras arall cyn i mi benderfynu'n derfynol ar y tîm. Diolch i chi am ddod. Mi'ch gwelaf i chi'r wythnos nesaf."

Wedi nofio rhyw ychydig i ymlacio'r cyhyrau, gadawodd y genethod y pwll. Roeddent yn eu cael eu hunain yn sgwrsio'n rhwyddach o lawer yn awr.

"Faset ti'n hoffi pas adref?" gofynnodd Elin i Mari ar eu ffordd allan.

"Na, dim diolch, mae Miss James yn mynd â ni," atebodd Mari.

"O'r gorau," meddai Elin, "mi wela i di'r wythnos nesaf."

"Ie. A llongyfarchiadau eto," meddai Mari.

"Diolch. Hwyl fawr."

"Hwyl, nawr."

Edrychodd Mari arni'n mynd. Roedd hi'n edrych yn hollol wahanol pan oedd hi'n gwenu, yn llawer delach, er ei bod yn cochi at fôn ei gwallt. Merch ryfedd iawn, meddyliodd Mari, ond eto'n annwyl a diniwed. Teimlai Mari ei bod ar fin gwneud ffrind newydd. A oedd hynny'n bosib? Sefyllfa wahanol iawn a fyddai'n croesawu'r ddwy ohonynt gartref. Wrth feddwl am hyn teimlai Mari'n anghysurus a byddai wedi rhoi'r byd heno am gael newid lle ag Elin, am gael teimlo'n hapus, a theimlo cariad mam a thad—ati hi ac at ei gilydd.

Pennod 5

Edrychodd Dafydd Morgan-Puw ar ei oriawr. Roedd hi'n hwyr. Peth anarferol iddi hi. Gobeithio nad oedd dim byd o'i le. Edrychodd o gwmpas yr ystafell. Seddau lledr moethus a phren tywyll cadarn. Dyma'i hoff le bwyta yn y dref. Lle i gael pryd distaw heb neb i amharu arnynt. Gallai rhywun dreulio prynhawn cyfan yma heb deimlo fod y weinyddes yn ysu am gael clirio'r bwrdd. Roedd y bwyd yn ardderchog a digon o ddewis o win da. Edrychodd tua'r drws ar yr union eiliad y cerddodd hi i mewn. Gwisgai ei gwallt yn rhydd heddiw ac edrychai yn ieuengach. Dillad hamddena o liw brown a hufen oedd amdani a phrysurodd ei chamau tuag ato wrth iddi sylwi arno.

"Dafydd, mae'n ddrwg gen i fod yn hwyr!"

Cododd yntau, a'i chusanu ar ei grudd.

"Popeth yn iawn. Er bod yn rhaid i mi gyfaddef fy mod i'n dechrau poeni."

"Beth? Dafydd Morgan-Puw yn poeni am rywun arall?" gofynnodd yn gellweirus.

"Ia, Lisa," atebodd yn hollol ddifrifol. "Dyna'r effaith wyt ti'n ei gael arna i."

Eisteddodd y ddau i lawr gan edrych ar y fwydlen.

"Mi ges drafferth mawr i ddod o hyd i le i barcio yn y dre. Roedd angen un neu ddau o bethau arna i. Aeth yn ras wyllt wedyn i fod yma mewn pryd. Roeddwn i'n meddwl y byddet ti wedi mynd."

"Paid â bod yn wirion. Rwyt ti'n werth aros amdanat."

Ar hyn daeth y weinyddes i nôl eu harcheb a throdd y sgwrs at bethau dibwys cyffredinol.

"Ble rwyt ti wedi'i ddweud wrth Howard dy fod di," gofynnodd Dafydd pan oeddent ar eu pennau eu hunain unwaith eto.

"Cwrdd â hen ffrind. Fydd o ddim yn holi llawer fel y dywedais i wrthyt ti o'r blaen."

Edrychai Dafydd i fyw ei llygaid wrth iddi siarad. Teimlai yn gynnes drwyddo ac yn ysgafn, hapus ei ysbryd.

"Rwyt ti'n edrych yn fendigedig o ddel heddiw. Mi rown i unrhyw beth am fod ar ben fy hun efo ti nawr i gael gafael yn dynn ynot ti a'th gusanu di."

Gwridodd Lisa wrth glywed ei glod a dywedodd, i ysgafnhau'r sgwrs,

"Ew, Dafydd! Faint o'r gwin 'na wyt ti wedi ei yfed cyn i mi ddod?"

"Lisa, fedri di ddim bod o ddifrif o gwbl?"

Gwelodd y wên gellweirus yn diflannu oddi ar ei gwefusau.

"Medraf, ond mae arna i ofn."

"Rwyt ti'n gwybod bellach sut dw i'n teimlo tuag atat ti, Lisa."

"Ydw, ond mi dw i'n d'adnabod di, Dafydd; ac yn gyfarwydd â'th hanes di."

"Lisa, Lisa. Mi dw i o ddifrif. Dwyf i erioed wedi teimlo fel hyn o'r blaen. Dwyf i erioed wedi bod mor hapus efo neb ag ydw i efo ti. Rwyt ti yn goleuo 'mywyd i. Mae bod yn dy gwmni di, yn siarad efo ti a chwerthin efo ti yn fendigedig, ar wahân i ddim arall."

"O, Dafydd. Mi dw innau'n mwynhau bod efo ti hefyd. Mi fwynheuais i bob eiliad o Sbaen. Roedd cael bod efo ti drwy'r dydd a'r nos fel nefoedd. Ond mae arna i ofn."

"Ofn beth?"

"Wn i ddim. Ofn fy nheimladau. Ofn dy deimladau di ac ofn brifo Denise ac Elin."

"A Howard?"

"Beth am Howard?"

"Ofn ei frifo fo?"

"Dim yn y ffordd wyt ti'n feddwl. Mae gan Howard a minnau drefniant. Ar yr ochr yna o'n priodas rydyn ni'n dilyn ein ffordd ein hunain."

"Ydy o'n gwybod amdanon ni?"

"Nag ydy, nac eisiau gwybod chwaith. Mae ganddo yntau ei fywyd."

"Bobol bach!" ebychodd Dafydd. "Feddyliais i erioed fod Howard yn hel merched."

"Dydy o ddim," meddai Lisa, a rhyw nodyn rhyfedd yn ei llais.

"Beth ydy gwendid Howard felly?" gofynnodd Dafydd, yntau yn gellweirus yn awr, "Y ddiod feddwol? Gamblo?"

"Nage. Dynion."

Syfrdanwyd Dafydd gan ei geiriau. Gwelodd y boen yn ei llygaid, poen yr oedd wedi ei weld droeon o'r blaen ond heb ei adnabod.

"O Lisa, mae'n ddrwg gen i." Gafaelodd yn dynn yn ei llaw. Damiodd ei hun am ei eiriau difeddwl. "Doedd gen i ddim syniad."

"Nag oedd, mi wn i. Does na ddim llawer o bobl yn gwybod."

Deallodd Dafydd yn awr y rheswm dros y gwyliau ar wahân, ymweliadau Lisa â Caerau ar ei phen ei hun, a chymorth Charles yn y Bistro pan oedd hi i ffwrdd.

"Ond pam aros hefo fo?"

"Mae gen i feddwl ohono, o fath. Rwy'n cael

gwneud fel y mynna i, cael gwario fel y mynna i, a chael gweld pwy fynna i. Pam newid?"

"O, Lisa. Mae 'na fwy i fywyd, debyg?"

"Oes, efallai. Ar hyn o bryd rwy'n fodlon. Wel, dyna ddigon o sôn am Howard. Ble rwyt ti wedi'i ddweud wrth Denise yr wyt ti heddiw?"

"Dw i ddim wedi dweud gair. Fydd Denise byth yn gwybod ble rydw i, beth bynnag. A dyna ddigon o sôn am Denise."

Roeddent wedi gorffen bwyta heb sylwi dim ar y bwyd a daeth y weinyddes yno i glirio'r llestri.

"Coffi?" gofynnodd.

"Na, dim diolch," meddai Lisa cyn i Dafydd gael cyfle i ateb. "Does gynnon ni ddim amser heddiw."

Edrychodd Dafydd arni.

"A beth ydy'r brys, Mrs Smythe," gofynnodd wrth i'r ferch gerdded oddi wrthynt.

Taflodd Lisa allweddi ar y bwrdd.

"Beth ydy'r rhei'na?" gofynnodd Dafydd.

"Allweddi fflat fy ffrind. Mae hi wedi mynd i ffwrdd am ychydig ddyddiau ac wedi gofyn i mi alw i wneud yn siŵr fod popeth yn iawn. Faset ti'n fodlon dod hefo mi?"

Chwarddodd Dafydd yn hapus.

"Prynhawn diog o'n blaenau, felly. Gwell i mi ffonio'r swyddfa i ddweud na fydda i ar gael am weddill y dydd. Fydda' i ddim dau funud."

Edrychodd Lisa arno'n mynd. Roedd ei gorff cyhyrog y gwneud iddi feddwl am yr holl siestas a gawsant yn Sbaen ac ni allai aros i gael teimlo ei galedwch yn ei herbyn unwaith eto. Roedd hi'n falch fod Lynne wedi cytuno i roi benthyg allweddi'r fflat iddi. Dim ond iddi hi fod wedi mynd oddi yno erbyn tua saith o'r gloch. Cododd oddi wrth y bwrdd, yn edrych ymlaen yn eiddgar at yr hyn oedd i ddilyn. A pham lai? Roedd hi'n haeddu ychydig o gysur y dyddiau hyn.

Cyrhaeddodd y ddau y drws ar unwaith. Wedi i Dafydd dalu'r bil, cerddasant allan fraich ym mraich yn hollol anymwybodol o unrhyw beth a ddigwyddai o'u cwmpas.

Roedd Mari ac Elin ar fin dod allan o'r pwll nofio wedi awr o ymarfer caled ar ôl ysgol pan sylwodd Mari ar Alun Parri. Yr oedd yn sefyll wrth ymyl mynedfa'r gwylwyr, yn gwisgo *jeans* a siwmper las tywyll. Edrychai yn olygus iawn a llamodd ei chalon wrth ei weld. Wrth sylwi arnynt cerddodd i lawr y stepiau at y wal fechan a wahanai'r pwll a'r lle gwylio. Ar yr un pryd sylwodd Bethan James, a oedd yn sefyll ar ochr y pwll, arno yntau a cherddodd tuag ato.

Trodd Mari at Elin, "Tyrd, ar hyd unwaith eto."

"O, na, Mari, alla i ddim. Dos di."

"O'r gorau. Aros di amdana i yma."

Plymiodd i'r dŵr a nofiodd yn hyderus ar hyd y pwll. Roedd hi'n ymwybodol ei bod yn dangos ei hun a bod pawb yn edrych arni. Ond ni allai beidio â dal ar y cyfle yma i ddisgleirio. Wedi gorffen arhosodd yn y dŵr am ychydig funudau ac yna dringodd i fyny'r tair gris allan o'r dŵr.

"Tyrd, Elin," meddai dros ei hysgwydd, "fe awn ni i newid." Dilynodd Elin hi yn fud.

Roedd hi'n ymwybodol iawn o'r argraff a wnâi yn sefyll yno ar ochr y pwll. Roedd ei gwisg nofio wleb wedi glynu at ei chorff, pob modfedd ohoni wedi ei hamlinellu mewn deunydd disglair du. Plygodd i godi'r lliain a sychodd ei hwyneb. Tra'n dal yn ei phlyg tynnodd y cap nofio oddi ar ei phen a safodd i fyny'n sydyn gan daflu'r toreth o wallt dros ei hysgwyddau. Gyda'r weithred yma cafodd ei hun yn sefyll yn union gyferbyn ag Alun Parri. Edrychodd i fyw ei lygaid a thybiodd iddi ei weld yn gwrido. Cerddodd tuag ato a Bethan.

"Dyna ni wedi gorffen, Miss James. Helo, Mr Parri."

"Helo, Mari." Gwelodd Mari ei fod yn ei chael yn anodd edrych i'w llygaid. Symudodd Mari ei phwysau i'w choes dde a gwnaeth ystum i sychu ei chlun â'r lliain.

"Rydych chi'n nofio'n dda, Mari."

Gwelodd Mari Bethan James yn taflu golwg ddig arno a manteisiodd ar y cyfle.

"Rhaid i chi ddod yma'n amlach, Mr Parri. Mae pawb yn nofio'n well o gael cefnogaeth."

"Ydy, debyg," atebodd yntau gan edrych yn hollol anghyfforddus. "Wyt ti'n barod, Bethan?"

"Ydw, Alun," atebodd hithau'n siort. "Dyna ni felly, ferched, tan yr wythnos nesaf. Fe'ch gwelaf chi yfory, Mari."

Teimlai Mari'r cerydd yn ei llais a chwarddodd yn ysgafn.

"O'r gorau, Miss." Fflachiai ei llygaid gwyrdd gan ddireidi.

Pesychodd Elin yn anghysurus wrth ei hochr.

"Tyrd i newid, Mari. Mi fydd mam yn disgwyl amdanon ni."

"O, mae gennych chi ffordd adre' felly, Mari," meddai Alun Parri.

Sylwodd Mari ar yr ail edrychiad dig o gyfeiriad Bethan James.

"Oes diolch, Mr Parri. Y tro yma, beth bynnag. Hwyl nawr."

"Hwyl, Mari," atebodd Alun.

Ni ddywedodd Elin na Bethan yr un gair.

Cerddodd Mari'n ysgafn at yr ystafelloedd newid gan fyseddu ei gwallt hir. Trodd yn ôl i edrych ar y ddau athro ac wrth weld eu bod yn dal i'w gwylio gwenodd yn ddiniwed arnynt a chodi ei llaw.

Nid oedd Elin wedi sôn gair am hyn tra'r oeddynt yn newid, heblaw am ofyn pwy oedd Alun Parri.

"Roeddet ti'n hy iawn arno," oedd yr unig beth a ddywedodd.

Er bod Mari wedi dod yn agos iawn at Elin yn ystod yr wythnosau diwethaf yma, ni theimlai fel rhannu ei theimladau a'i dyheadau am Alun Parri â hi. Trodd y sgwrs i sôn am eu hysgolion a gwaith cartref ac ymhen dim yr oeddent yn eistedd yng nghar mam Elin ac ar eu ffordd adref. Roedd Mari wedi bod yn swil ar y dechrau i dderbyn cynnig Elin i fynd â hi adref, ond erbyn hyn yr oedd hi'n falch o'r pleser diniwed o deithio mewn car moethus, ac yr oedd hi'n hoffi Mrs Morgan-Puw.

"Mi fydd raid i chi ddod acw, Mari, efo Elin. Efallai y caech chi gyfle i nofio yn ein pwll ni, cyn i'r tywydd droi'n rhy oer."

Teimlai Mari fod Mrs Morgan-Puw yn falch o'i chyfeillgarwch â'i merch.

"O diolch i chi," atebodd.

"O grêt, mam," meddai Elin. "Efallai y cawn ni drefnu yr wythnos nesaf."

"O'r gorau," meddai Mari.

Erbyn hyn roeddent wedi cyrraedd gwaelod y ffordd a arweiniai at y stryd o dai lle'r oedd Mari yn byw.

"Diolch i chi eto," meddai Mari wrth fynd allan o'r car. "Wela i di yr wythnos nesaf. Hwyl nawr."

"Hwyl," meddai'r ddwy o'r tu mewn i'r car.

Edrychodd Mari arnynt yn ymadael cyn iddi gerdded i fyny'r ffordd. Roedd hi'n falch ei bod wedi ei derbyn gan Elin a'i mam.

Pan gyrhaeddodd Mari'r tŷ doedd dim arlliw o neb yno. Cofiodd fod ei mam a Sam wedi mynd i dŷ ffrind yn y dref a bod yr efeilliaid wedi mynd adref efo ffrindiau ar ôl ysgol. Gwelodd gôt Eddie ar waelod y grisiau a suddodd ei chalon wrth feddwl y byddai'n rhaid iddi hi gynnal sgwrs ag ef. Aeth tuag at yr ystafell fyw a gwelodd drwy'r drws agored fod Eddie yn rhochian cysgu.

'Dyna lwc,' meddai wrthi ei hun a throdd oddi yno am y grisiau. Fe âi i'w hystafell ac efallai y golchai ei gwallt yn nes ymlaen gan nad oedd wedi gwneud hynny dan y gawod yn y pwll nofio. Cymerai ei gwallt ormod o amser i sychu, a rhyw bethau gwael iawn oedd y peiriannau sychu gwallt yn yr ystafelloedd newid.

Caeodd ddrws ei llofft yn ysgafn ar ei hôl. Roedd hi'n dechrau teimlo wedi blino ar ôl yr holl ymarfer. Ciciodd ei hesgidiau oddi tan y gwely a gorweddodd arno am ychydig. Gallai gysgu yn hawdd, meddyliodd, ond roedd gormod ganddi i'w wneud—golchi ei gwallt, gwaith cartref, a helpu ei mam, mae'n debyg, pan ddeuai honno i'r tŷ. Cododd yn araf o gyfforddusrwydd y gwely a dechreuodd dynnu ei gwisg ysgol oddi amdani. Wedi diosg y siwmper, sgert, blows a'r sanau, safodd o flaen y drych yn edmygu ei dillad isaf newydd. Roedd ei nain wedi rhoi arian iddi ychydig wythnosau yn ôl i brynu rhywbeth iddi hi ei hun. Penderfynodd yn syth brynu dillad isaf newydd gan fod y rhai oedd ganddi i gyd y edrych yn byglyd iawn ar ôl cael eu golchi gymaint o weithiau. Roedd arni eisiau edrych yn daclus ac yn lân o flaen y genethod eraill wrth newid yn y pwll nofio. Siampên ddywedodd y ddynes yn y siop oedd enw'r lliw yma. *Y* lliw ar y funud, meddai hi. Yr oedd yn gweddu'n dda i bryd a gwedd Mari ychwanegodd, gan fesur ei bronnau i wneud yn siwr ei bod yn cael y maint cywir. Roeddent ychydig yn ddrutach na'r hyn yr oedd hi wedi arfer eu prynu ond rhaid iddi hi gyfaddef eu bod yn ddel iawn ac yn gwneud iddi hi deimlo'n ddeniadol. Dyna oedd yn bwysig wrth ddewis dillad isaf, meddai dynes y siop. Wrth edrych arni ei hun yn awr meddyliodd am Alun Parri. Tybed a fyddai ef yn hoffi'r lliw siampên?

Cododd ei phen yn sydyn i edrych y tu ôl iddi ei hun yn y drych. Gallai weld y drws yn agor yn araf. Trodd i wynebu'r drws ar yr union eiliad y cerddodd Eddie drwyddo. Fferrodd wrth ei weld.

"Mari. Ro'n i'n meddwl dy fod di wedi cyrraedd!"

Roedd ei lais yn drwm gan ddiod a golwg hurt rhywun newydd ddeffro ar ei wyneb. Glynai ei wallt seimllyd i'w dalcen, roedd ei grys hanner allan o'i drowsus a botwm hwnnw yn agored. Wrth glywed ei lais estynnodd Mari am ei gŵn gwisgo oddi ar droed y gwely a'i roi amdani'n frysiog.

"'Does dim rhaid i ti wisgo amdanat, Mari fach. Ma' Eddie'n licio dy weld di'n hanner noeth."

Fferrodd unwaith eto. Teimlai fel dweud rhywbeth. Unrhyw beth a fyddai'n atal ei gamau rhag ei chyrraedd. Ond doedd ganddi ddim llais. Agorodd ei cheg ond ni allai yngan dim. Ceisiodd symud ei thraed i gerdded heibio iddo ond yr oedd fel pe bai wedi ei hoelio i'r llawr. Daeth ysfa i chwerthin drosti. Ond ni allai chwerthin chwaith. Gwelodd ei fwriad yn glir yn ei lygaid wrth iddo gerdded tuag ati. Roedd ei gamau yn anwastad. Tybiodd ei fod yn chwil ond nid yn rhy chwil i ymestyn am ei falog a dadwneud y botymau.

"Dw i wedi bod yn disgwyl am hyn ers wythnosau, y slwt fach."

Rhyfedd fod dyn chwil yn gallu camu mor osgeiddig o'i drowsus, meddyliodd Mari.

"O Mari, mi fyddi di'n 'joio hyn." Roedd ei lais yn awr yn drwchus gan chwant, ei ddwylo yn anwesu ei hun. Rhyfedd ei fod yn cymryd cymaint o amser i'w chyrraedd, meddyliodd Mari wedyn; doedd ei hystafell ddim yn un fawr o bell ffordd.

Y funud nesaf teimlodd ei gŵn yn cael ei ddiosg oddi ar ei hysgwyddau ond llwyddodd i'w chadw ar ei breichiau. 'O na, O plîs, na!' sgrechiodd llais ymhell i ffwrdd yn ei phen.

Clywodd sŵn lês siampên yn cael ei rwygo, teimlodd fysedd chwyslyd yn ymbalfalu yn ei gwallt a theimlodd aer poeth drewllyd ar ei grudd. Daeth ias fel cyllell ar draws ei gwefus a theimlodd dafod blas mwg yn gwthio'n erbyn ei dannedd. Pwniodd pen-glin rhwng ei choesau mor gyflym ac mor frwnt nes eu gwahanu'n ddiymdrech ac wrth deimlo llaw yn dilyn yn syth daeth rhywbeth drosti. Ffrwydrodd y nerth y tu mewn iddi a lluchiodd ei hun yn erbyn ei threisiwr. Caeodd ei dyrnau a'u taflu allan yn ddi-hîd. Clywodd rywun yn beichio crio yn bell i ffwrdd ond roedd hi'n rhy ymwybodol o'r ysfa a'i gorchfygai i'w hamddiffyn ei hun. Ni allai feddwl beth oedd yr holl wlypder ar ei hwyneb. Teimlai rywbeth caled yn erbyn ei chluniau a dechreuodd ei nerth ballu. Tybiai ei bod yn clywed llais gwraig yn galw'i henw ac fe'i gollyngwyd yn swp i'r llawr. Ni allai symud. Peidiodd y sŵn gweiddi a gwelai Eddie yn ei heglu hi oddi wrthi. Caeodd ei llygaid. Teimlai rywun yn rhoi hergwd iddi. Agorodd ei llygaid a gwelodd ei mam yn sefyll uwch ei phen. O diolch byth, meddai wrthi ei hun. Diolch byth ei bod hi wedi cyrraedd mewn pryd.

"Saf ar dy draed, y bitsh fach!"

Dychrynwyd Mari gan y geiriau.

"Ar dy draed!"

Roedd y gorchymyn yn ddigon i wneud iddi

ymbalfalu am weddillion ei dillad a gwneud ymdrech i orchuddio ei hun.

"Sut medret ti, y sguthan!"

Edrychai ei mam fel pe bai'n barod i'w lladd.

"O mi rydw i wedi dy weld di. Wedi dy weld di'n tynnu arno. Meddwl dy hun yn glyfar, ond rêl hwran wyt ti."

Ni allai Mari ddweud gair. Ni allai gredu'r hyn a glywai. Doedd dim golwg o Eddie yn awr. Ni allai ei mam erioed fod wedi camddeall y sefyllfa. Ond roedd Glenys Watcyn yn dal i fytheirio.

"Pacia dy betha' yn syth. Dw i ddim isio dy weld di eto. Mi gei di fynd lle mynnot ti."

"Ond mam. . . !"

"Wedi ffeindio dy dafod, do'r slwt? Paid â thrïo lluchio baw i'm llygaid i. Mi wn i sut un wyt ti."

Ni allai Mari gredu'r hyn a glywai. Gwelodd na fyddai dim a ddywedai hi yn darbwyllo ei mam. Roedd hi wedi gwirioni ar y sglyfath dyn.

"Mam, plîs gwrand'wch arna i. Y fo ddaru. . . !"

"Dyna ddigon! Dw i'n deall y sefyllfa'n iawn. Dw i isio chdi o 'ma mewn awr."

Cerddodd ei mam at y drws ond cyn mynd drwyddo edrychodd yn ôl ar ei merch. Gwelodd Mari ei bod yn crio ac am ennyd tybiai weld rhyw dosturi yn ei llygaid.

"Mi rydw i'n 'i garu o." Daeth y geiriau o berfeddion ei henaid fel petai'n ymbilio ar ei merch i ddeall.

Gwyrodd Mari ei phen. Ni allai oddef gweld y bradychu olaf. Caeodd Glenys Watcyn y drws yn glep ar ei hôl.

Arhosodd y car y tu allan i fflat Bethan. Roedd Alun a hithau wedi aros yn yr ysgol am ychydig yn cael paned o de gydag Elizabeth Evans yr athrawes ymarfer corff. Roeddent wedi cael sgwrs ddifyr rhyngddynt yn trafod nodweddion a diffygion addysg breifat ac addysg gyhoeddus. Buont yno am dros awr heb sylwi ar yr amser yn mynd heibio. Tawedog iawn oedd Bethan ar ei ffordd yn ôl ac ateb swta a gâi Alun bob tro y ceisiai ei denu i sgwrsio. Eisteddai yn awr fel delw yn edrych yn syth yn ei blaen heb wneud yr un ystum i symud allan o'r car. Cafodd Alun lond bol ar ei thymer.

"Beth sy'n bod, Bethan?"

"Dim byd."

"O tyrd 'mlaen. Mae 'na rywbeth yn dy gorddi di."

Trodd tuag ato, ei llygaid yn disgleirio a rhyw olwg gas ar ei hwyneb.

"Dw i ddim yn hoffi agwedd y ferch na."

"Pa ferch?'" gofynnodd yntau a golwg ddiniwed ar ei wyneb.

"Pa ferch! Mari fach, yntê Alun. Y sopan fach bowld 'na y bues i mor ffôl a'i dewis i'r tîm nofio."

Gwelodd Alun gasineb chwerw yn ei hwyneb ac fe'i dychrynodd.

"A beth ma' hi 'di wneud i ti?"

"Beth, yn wir! Y ffordd ma' hi'n siarad efo'r ddau ohonon ni. Ma' hi'n dy drin di fel petai hi hanner ffordd i'r gwely efo ti'n barod; a 'nhrin innau fel baw. O mae'n gas gen i hi."

"Rwyt ti'n gwneud môr a mynydd o ddim," atebodd Alun.

"O ydw? Wyt ti wedi gweld y ffordd ma' hi'n edrych arnat ti? Mae hi'n dy hanner addoli di ac yn fy nghasau innau am ei bod hi'n meddwl fod rhywbeth rhyngon ni."

Ni feiddiai Bethan ddweud ei gwir ofnau wrtho. Ni allai ddweud wrtho ei bod yn ofni ei deimladau ef tuag at Mari, ei bod yn gweld ac yn deall y ffordd yr edrychai arni hi. Roedd hi ofn gwneud iddo wynebu'r gwir. Ni allai hi wneud dim ond ei rybuddio.

"Rhaid i ti fod yn ofalus, Alun, rhag ofn i'w ffantasïau hi dy gael di i drwbwl."

"O paid â bod yn wirion, Bethan. Mae dy ddychymyg di'n rhy fyw."

Yr oedd yn teimlo'n anniddig ac nid oedd eisiau sgwrsio mwy am Mari rhag i Bethan weld ei wir deimladau. Rhaid fyddai i'r rheini aros o dan glo.

"Gobeithio'n wir," atebodd hithau.

Plygodd Alun tuag ati a rhoddodd gusan dyner ar ei gwefusau.

"Tyrd, Beth, anghofia amdani hi. Yli, beth am i ti ddod adre efo fi am benwythnos ddiwedd y mis yma. Byddai mam wrth ei bodd yn ffwdanu o dy gwmpas di. Be ti'n ddweud?"

Gloywodd hithau wrth glywed yr hyn a ddywedodd.

"Wyt ti o ddifri?"

"Ydw, siŵr iawn. Ddoi di?"

"Dof. Mi faswn i wrth fy modd yn gweld dy gartre di a chyfarfod dy rieni."

"Dyna ni, ta. Mi gysyllta i efo mam. Mwy na thebyg y bydd hi'n treulio'r pythefnos nesaf yn glanhau ac yn stwna ar dy gyfer di."

"O, cofia ddweud wrthi am beidio â mynd i drafferth."

"Mi wna i, er na fydd hi'n gwrando dim arna i."

"Diolch, Alun."

Teimlodd Alun ei bod hi mewn hwyliau da unwaith eto ac yr oedd yn falch fod y drafodaeth ar Mari drosodd.

"Ddoi di i fyny am baned, Alun."

Hoffai Bethan gael ei gwmni yn hwy ac efallai wneud iawn o dan y gynfas fel byddai ei nain yn dweud ers talwm.

"Na, dim heno. Mae gen i andros o waith marcio."

Edrychai Bethan ychydig yn siomedig. Ond teimlai Alun y byddai'n well ganddo fod ei hun heno.

"O'r gorau. Wela i di fory 'ta."

"Gweli. Hwyl cariad."

Cusanodd hi'n dyner unwaith eto a chamodd hithau allan o'r car.

Gyrrodd i ffwrdd y tro hwn heb ei gwylio'n mynd i fyny'r stepiau.

Edrychai Lisa ar Dafydd yn gwisgo amdano. Roedd ei gorff cyhyrog yn dal yn frown ar ôl y trip i Sbaen, ac ar ôl ambell awr yn gorwedd oddi tan y gwely haul, fe dybiai. Roedd hi'n falch ei bod hi wedi cael y syniad o ofyn i Lynne am gael benthyg ei fflat am y prynhawn. Roedd Lynne a hithau wedi hen arfer gwneud cymwynas â'i gilydd. Trodd ei meddyliau yn ôl at Dafydd; yr oedd o'n olygus iawn ac yn llawn hunan hyder, rhywbeth a'i denodd hi ato o'r cychwyn cyntaf. Tybiai mewn ffordd mai rhyw fath o ffars oedd yr hunan hyder mewn gwirionedd ac mai dyn eithaf ansicr oedd Dafydd yn y bôn. Yr oedd yn boenus o ymwybodol weithiau mai gan Denise oedd yr arian, yn ferch i ffermwr cyfoethog ac mai mab i ysgolfeistr a gwniadwraig oedd ef, wedi ei ddwyn i fyny ar aelwyd ddigon cyffredin.

Cododd Lisa ar ei heistedd. Roedd hi'n brifo drosti wedi'r caru gwyllt, ond yn brifo'n braf. Rhaid cyfaddef fod Dafydd yn garwr heb ei ail ac wedi rhagori yn y gamp heddiw. Tybed a oedd yn ceisio profi rhywbeth wedi'r hyn a ddywedodd hi am Howard?

Gwelodd hi'n edrych arno.

"Ydy hynna wedi ei setlo, felly?" gofynnodd iddi.

"Beth?"

"Ein bod ni'n cyfarfod yn y gwesty ymhen pythefnos?"

"O, ydy. Ardderchog."

Edrychodd arno yn gwneud cwlwm tei. Roedd ganddo fysedd hirion llyfn a gallai ddal i deimlo'r wefr o'u cael yn anwesu'i chorff. Cil-edrychodd ar y cloc. Chwarter wedi pump. Erbyn saith ddywedodd Lynne y byddai'n rhaid iddi hi ymadael.

Camodd o'r gwely gan daenu'r gynfas amdani. Cerddodd tuag ato.

"Dyna drueni dy fod di wedi gwisgo amdanat," meddai yn chwareus.

"Pam felly?" atebodd yntau gan ymateb i'w chwarae.

"Wel, meddwl y baset ti'n rhwbio olew ar hyd fy nghorff lluddedig i. Allet ti ddim gwneud hynny yn dy ddillad rhag ofn i ti eu difetha'. . ."

Roedd hanner gwên ar ei hwyneb wrth iddi siarad.

". . .*Aromatherapi* ydy'r gair crand."

"O ia. Wel, mae arna'i ofn nad ydw i'n hyddysg yn y grefft. Mi fydd rhaid i ti ffeindio rhywun arall."

Teimlai Dafydd ei hun yn dechrau cynhyrfu unwaith eto.

"Y cwbl sydd eisiau ydy dwylo cryfion llyfn a digon o nerth, heb fod yn frwnt, i dyluno ac anwesu'r mannau priodol."

Erbyn hyn roedd hi'n sefyll o'i flaen, y gynfas wedi ei diosg rhyngddynt â'r gwely. Gydag un symudiad sydyn tynnodd hi y dei yr oedd wedi ei chlymu mor ofalus a dechreuodd agor botymau ei grys. Tynnodd hwnnw'n ofalus dros ei ysgwyddau a disgynnodd i'r llawr. Taenodd ei dwylo dros ei freichiau ac anwesu ei frest gan anelu'n araf at y croen uwchben gwasg ei drowsus. Gadawodd i'w bysedd dreiddio oddi tan y deunydd ac ymhen ychydig eiliadau yr oedd hi wedi agor y bachyn a'r sip a llithrodd y trowsus i lawr dros ei goesau cryfion. Peidiodd â chyffwrdd ynddo am ychydig. Edrychodd arno. Roedd ei lygaid ynghau a gwyddai yn awr ei fod yn hollol ddibynnol arni. Ni chyffyrddai yn rhan isaf ei gorff am ychydig; roedd yr effaith yn ddigon ar hyn o bryd. Gafaelodd yn ei ddwylo a'i dywys tuag at y gwely. Edrychodd ar ei lygaid glas, glas yn feddw gan chwant wrth iddo orwedd. Fe'i gadawodd o am ychydig funudau a phan ddaeth hi'n ôl gyda'r botel olew persawr yn ei llaw yr oedd Dafydd yn hollol noeth.

"Dyna ti," meddai hi gan gynnig y botel iddo. Roedd ei llais bellach yn drwm a rhywiol.

"Roeddet ti o ddifrif," atebodd.

"Dw i bob amser o ddifrif." Gorweddodd ar ei bol wrth ei ochr ac ochneidiodd yn ddistaw wrth deimlo ei ddwylo esmwyth ar ei chefn. Teimlai ei hun yn ymlacio drwyddi wrth iddo rwbio'r olew mwsg, *patchouli* a *ylang, ylang*. Roedd ei ddwylo medrus yn awr wedi cyrraedd ei gwasg a'i phen ôl ac yna i lawr i'w chluniau, treiddiodd ei fodiau i gnawd meddal tu mewn ei chluniau rhwng ei choesau, ond nid arhosodd. Roedd yntau'n feistr ar y gêm yma. Cefn ei choesau yn awr ac yna ei thraed. Anwesai bob bys yn ei dro ac yna trodd hi'n ofalus ar ei chefn, taenodd ei ddwylo unwaith eto â'r olew a gweithio'i ffordd i fyny y tro hwn. Roedd pob cyffyrddiad yn awr yn ychwanegu at dyndra ei chorff, pob cyffyrddiad melys, yn gwneud iddi awchu am y nesaf ac am iddo dreiddio'n uwch i fyny. Cyrhaeddodd flaen ei chluniau a gallai ei theimlo fel lastig wedi ei dynnu bron i'r pen. Rhaid oedd iddi frathu ei gwefusau neu byddai wedi gweiddi'n uchel. Os bu y fath beth ag artaith bleserus, roedd hi'n ei deimlo yn awr. Gwasgodd ei gwasg tuag at ei bol ag yna byseddodd ei bronnau yn ofalus. Ochneidiodd y ddau ar unwaith. Roedd ei goesau yn awr un bob ochr i'w chluniau ac yntau'n eistedd yn ysgafn arni. Symudai hithau i rythm ei ddwylo. Gydag un law yn dal i anwesu ei bronnau, taenodd fysedd ei law arall dros ei gwefusau, arogl yr olew yn gryfach yn awr. Cyffyrddodd yn ysgafn â'i thrwyn, ei llygaid ei thalcen ac yna tynnodd yn wyllt yn ei gwallt.

"O nawr Dafydd, nawr!" gwaeddodd.

Gwyrodd ei ben at ei hwyneb a brathodd ei gwefusau. Cusanodd hi'n wyllt, ei law yn dal i ymbalfalu yn ei gwallt.

"Plîs Dafydd, plîs," ymbiliodd.

Cododd yntau yn sydyn oddi arni ac yna treiddiodd i mewn iddi.

"O, Dafydd!"

Gorweddodd arni gan dreiddio'n ddyfnach, ddyfnach. Symudai hithau ei chorff yn ei erbyn gan bwyso a gwasgu'n dynn, dynn.

Clywai Dafydd sŵn griddfan ymhell i ffwrdd a llais Lisa'n galw allan bob hyn a hyn.

Yna, ffrwydrodd miloedd o sêr y tu ôl i'w lygaid a theimlai ei hun yn anystwytho ac yn crynu drwyddo. Ar yr un pryd teimlai berfeddion Lisa yn cau amdano a hithau'n anadlu'n drwm, drwm ac yna'n peidio am ychydig eiliadau. Ymlaciodd y ddau gorff ar yr un pryd.

Ymhen munudau lawer ymdrechodd Dafydd i symud oddi arni.

"Oes gynnon ni amser i gael cawod?"
Roedd cyrff y ddau yn dylifo o chwys ac olew.
"Oes. Un sydyn."
"Gwell i ni rannu, felly," ymatebodd yntau.
"O'r gorau,", meddai hithau "ac yna dechrau eto?"
"O na, Lisa fach! Mi fyddai'n ddigon i'm lladd i."
"Cellwair oeddwn i y tro yma. Mi gawn ni ddigon o amser yn y gwesty ymhen pythefnos."
"O'r mawredd!" meddai yntau gan ysmalio grwgnach.
"Tyrd wir, am y gawod 'na, neu yma byddwn ni."
Dilynodd Lisa ef i'r ystafell ymolchi.
Doedd hi ddim wedi mwynhau ei hun cymaint ers blynyddoedd.

Wedi gollwng Elin gartref ar ôl danfon Mari, penderfynodd Denise ddychwelyd i'r dref i weld Tecwyn. Roedd gan Elin waith cartref a gwyddai na fyddai Dafydd adref am sbel. Gwyddai hefyd y byddai Tecwyn wrth ei waith yn barod i dderbyn y clwb iau gyda'r nos. Roedd hi'n mwynhau galw yn y ganolfan am sgwrs a phaned. Ar y dechrau teimlai fod yn rhaid iddi gael esgus dros fynd i'w weld ond erbyn hyn a hithau wedi galw yno tua hanner dwsin o weithiau ers y parti yn Caerau, gallai alw i mewn heb achos i weld ei ffrind. Byddent bob amser yn cael trafodaeth ddifyr.
Pan gerddodd i mewn yr oedd Tecwyn yn brysur yn trwsio bwrdd tenis bwrdd.
"Dyma ddyn prysur."
Goleuodd ei wyneb wrth ei gweld.
"A dyma ddynes ddiarth!"
"Diarth?"

"Ia. Dw i ddim wedi dy weld ti ers. . ."
". . . dau ddiwrnod."
Chwarddodd y ddau yn ysgafn.
"Wedi bod yn siopa?" gofynnodd Tecwyn.
"Ia, rhyw fath. Teimlo'n unig fy hun yn y tŷ. Dafydd yn gweithio, Elin yn yr ysgol a Mrs Williams yn brysur. Mi ddanfonais i Elin gartre gyntaf cyn dod yma, ond doedd ganddi fawr o awydd sgwrsio, fel arfer."
Sylweddolodd Tecwyn fod Denise yn ymddangos yn fwy anfodlon ers ychydig wythnosau, fel pe bai wedi diflasu ar ei bywyd.
"Beth sy'n bod, Denise?"
"Dim byd. Pam?"
"Rwyt ti'n ymddangos yn anniddig."
"Mor amlwg â hynny, ydy?"
Eisteddodd Denise i lawr cyn gorffen ateb.
"O, wn i ddim. Rwy'n teimlo'n hollol ddiwerth. Gwraig fawr yn treulio'i hamser yn siopa a stwna. Ddim yn gorfod glanhau, golchi na gwneud bwyd yn aml iawn. Eistedd o gwmpas yn edrych yn deidi."
"Rwyt ti'n colli dy waith."
"Anodd dweud wedi pymtheg mlynedd. Colli cael rhywbeth i'w wneud, dw i'n meddwl. Dydy Elin ddim yn ddibynnol arna i mwyach, a fu Dafydd erioed felly."
"A dw i ddim yn helpu?" gofynnodd Tecwyn yn dyner.
Gwenodd Denise arno.
"Yn help mawr, taset ti ond yn gwybod. Rwyt ti wedi gwneud i mi feddwl amdana i fy hun am unwaith. Y broblem ydy, a ydy hynny'n beth da?"
"Wrth gwrs 'i fod o," atebodd Tecwyn yn daer. "Rwyt ti'n wraig alluog, gall. Rhaid i ti sylweddoli

fod mwy i fywyd nag eistedd o gwmpas!''

"O Tecwyn, Tecwyn! Hawdd i ti siarad fel 'na. Rwyt ti'n ifanc."

"A dwyt tithau ddim yn rhy hen. Fel y dywedaist ti, does 'na neb yn ddibynnol arnat ti mwyach. Rhaid i ti ffeindio rhywbeth i'w wneud."

Edrychodd arni cyn mynd ymlaen. Roedd hi'n amlwg fod arni angen rhywbeth i'w wneud. Doedd hi ddim y math o berson i laesu dwylo.

"Ydy hi'n edifar gen ti fod wedi gadael dy yrfa?"

"Nag ydy," atebodd yn bendant. "Doedd merched ddim yn mynd yn ôl i weithio wedi cael plant yr adeg ces i Elin. Ddim fel y dyddiau yma. Ond byddaf i'n meddwl weithiau y dylwn i fod wedi aros rhyw flwyddyn neu ddwy. Ro'n i'n disgwyl yn syth bron, ti'n gweld. P'run bynnag doedd Dafydd ddim eisiau i mi weithio."

"Roeddet ti'n lwcus iawn nad oedd angen yr arian arnoch chi."

"Oeddwn, debyg. Roedd Dafydd eisiau profi rhywbeth, ti'n gweld. Eisiau dangos 'i fod o'n medru 'nghadw i. Roedd o'n ymwybodol drwy'r amser mai fi oedd piau'r rhan fwyaf o'r tŷ—amod gan fy nhad wrth ei roi i ni'n anrheg priodas.

"Am andros o anrheg priodas," torrodd Tecwyn ar ei thraws wrth i'r darlun godidog o Caerau lenwi ei feddyliau.

"Ie. Hen gartref teulu 'nhad. Modryb ddi-briod wedi ei adael i nhad, yntau'n unig blentyn, ac, wedi sefydlu ei fferm, yn ei roi i mi, ei unig blentyn a'i gŵr. Ond fel y dywedais i, roedd cymal yn y gweithredoedd yn pwysleisio mai fi oedd piau dwy ran o dair o'r tŷ a Dafydd y rhan arall. Mae'n debyg fod dad wedi gweld trwyddo mor gynnar â hynny."

Roedd golwg drist iawn ar ei hwyneb a gofynnodd Tecwyn yn dyner, "Ti fyddai piau'r tŷ, felly, petai chi'n ysgaru?"

"Feddyliais i erioed am hynny. Ond mi wn na allai werthu'r lle heb i mi gytuno."

Ni ddywedodd yr un ohonynt yr un gair am ychydig.

"Mae'n ddrwg gen i Denise. Rwy'n dy wneud di'n anhapus on'd ydw, wrth holi byth a beunydd."

"Nag wyt, wir, Tecwyn. Am y tro cyntaf ers amser mi ydw i'n meddwl drosto' fy hun ac yn ceisio gwneud penderfyniadau."

"Wel, mae gen i un penderfyniad mawr i ti ei wneud nawr."

"Beth felly?" Edrychodd Denise yn boenus iawn.

"I ddod allan efo mi am bryd yr wythnos nesaf."

Chwarddodd Denise yn uchel.

"O, o'r gorau. Rwyt ti wedi fy nal i ar funud wan. Mi ddo i. Pam ddim, yntê."

"Ie, wir. Pam ddim," atebodd Tecwyn gan deimlo'n hollol hapus ei bod hi wedi cytuno.

Roedd meddyliau Alun yn gymysglyd iawn ar ei ffordd o fflat Bethan. Yr oedd yn falch ei fod wedi ei thynnu i hwyliau da unwaith eto; roedd hi'n gas ganddo ffraeo. Ond ar y llaw arall ni allai anghofio ei chasineb wrth drafod Mari. Damia'r ferch yna, meddyliodd. Roedd hi'n niwsans mwyfwy yn ei fywyd y dyddiau yma; roedd yn ei gweld ym mhob-man; yn yr ysgol, mewn pyllau nofio, yn ystum pob merch wallt hir coch, ac yn ei freuddwydion. Yn bennaf oll yn ei freuddwydion ac ym mhob noson ddi-gwsg a dreuliai'n ddiweddar.

"O'r Arglwydd, dyna hi eto," meddai'n uchel wrth basio merch wallt coch yn cario ces dillad.

Edrychodd yn ôl yn y drych.
"Mari ydy hi!" ebychodd wrtho'i hun.
Roedd golwg mor wyllt arni hi fel bod yn rhaid iddo stopio'r car. Wrth iddi agosáu agorodd y ffenest.
"Mari, ble y'ch chi'n mynd?"
Ni atebodd hi a pharhaodd i gerdded yn ei blaen. Neidiodd yntau o'r car ac aeth ar ei hôl. Gafaelodd yn ei braich a bu rhaid iddi edrych arno. Roedd olion crio arni ac roedd ganddi farc coch ar ei grudd a'i gwefus isaf wedi cleisio.
"O Mari, beth sy' wedi digwydd?" gofynnodd mor dyner nes y dechreuodd hi grio unwaith eto.
"Ylwch, dowch i'r car. Ry'n ni'n tynnu sylw yma."
Gallai weld pobl yn edrych yn rhyfedd arnynt wrth basio.
Ufuddhaodd Mari. Wedi iddo ailgychwyn, gofynnodd Alun iddi.
"Allwch chi ddweud wrtha' i nawr beth sy'n bod?"
Dechreuodd Mari grio'n waeth a theimlai Alun yn hollol ddiymadferth. Gwell fyddai ceisio ei chysuro. Roeddent ar gyrion y maes parcio a throdd Alun y car i mewn trwy'r fynedfa. Stopiodd y car a throdd i edrych arni. Roedd y crio wedi peidio unwaith eto. Sylwodd yn awr fod ei gwddf yn wrymiau coch hefyd.
"Mari, plîs dwedwch wrtha'i beth sy'n bod. Pwy wnaeth hyn i chi?"
"Eddie."
"Eddie? Pwy ydy Eddie?"
"Cariad Mam."
"Ych curo chi ddaru o?"
Ni ddywedodd Mari air. Cronodd dagrau yn ei llygaid eto a phowlio dros ei gruddiau. Crynai ei

gwefus isaf a chlywai Alun hi'n ochneidio y tu mewn. Prin y gallai glywed ei geiriau.

"Naci. Ymosod arna i."

Teimlai Alun ei hun yn cynddeiriogi y tu mewn a'r funud honno gwyddai sut y teimlai llofrudd cyn dechrau ar ei weithred. Ond wrth edrych ar Mari yn crio'n dawel diflannodd ei wylltineb tuag at Eddie a theimlodd dosturi tuag ati. Teimlodd rywbeth arall hefyd, a'r teimlad hwn a wnaeth iddo roi ei freichiau amdani a'i gwasgu'n dynn.

"O Mari, paid. Paid â chrio. Rwyt ti'n ddiogel nawr."

Teimlodd hi'n ymlacio yn ei freichiau wrth iddo furmur cysur yn ei gwallt. Gafaelodd yn dyner yn ei hwyneb a'i throi tuag ato. Byseddodd y briw ar ei grudd.

"Ddaru o. . ."

"Naddo," atebodd hithau cyn iddo orffen gofyn.

"Diolch i Dduw."

Ni soniodd Mari am y troeon eraill. Ofnai beth fyddai ymateb Alun pe gwyddai'r cyfan. Ni allai ond gobeithio y câi gyfle rywbryd eto, yn y dyfodol, i agor ei chalon iddo a'i wahodd i ddod i'w hadnabod yn llwyr.

Edrychodd Alun i fyw ei llygaid. Ni welodd erioed lygaid mor wyrdd, mor fendigedig o hardd â'i rhai hi, hyd yn oed yn awr â'r holl olion crio arnynt. Gallai ymgolli ei hun yn hawdd iawn ynddynt a theimlai ei bod yn treiddio i berfeddion ei enaid. Tynhaodd ei gafaeliad amdano a sylweddolodd ei fod yn byseddu ei gwallt tonnog. Gorchuddiodd ei wyneb yn ei harogl ffres ac yna tynnu oddi wrthi a thaenu ei wefusau yn ysgafn dros ei gwefusau briwiedig hi.

Daeth yr ergyd mor sydyn a phe bai rhywun wedi ei drywanu yn ei gefn. Gollyngodd hi ar unwaith wrth sylweddoli ei fod yn gwneud yr union beth yr oedd hi wedi dianc oddi wrtho—er yn llawer tynerach.

"O'r Arglwydd mawr, Mari. Mae'n ddrwg gen i."

Gwelodd benbleth yn ei llygaid.

"Ceisio'ch cysuro chi, ro'n i. Mae'n wir ddrwg gen i. Ddylwn i ddim wedi bod mor hy."

Roedd Alun wedi dychryn wrth sylweddoli beth a wnaethai a chlywai Mari banic yn ei lais. Dechreuodd Mari grio eto. Wyddai Alun ddim beth i'w wneud ac yn awr roedd ofn arno. Ofn canlyniad ei weithred anghyfrifol a chlywai eiriau Bethan yng nghefn ei feddwl. Ni fyddai Mari yn creu ffantasïau o gylch y digwyddiad, yn na fyddai?

Wrth ei chlywed yn crio unwaith yn rhagor parhaodd i ymddiheuro.

"Wn i ddim beth ddaeth drosta i, Mari. Mae'n wir, wir ddrwg gen i. Mi alla i'ch sicrhau chi na wnaiff hyn byth ddigwydd eto. Ro'n i wedi gwylltio wrth feddwl am yr Eddie 'na, a hynny'n gwyrdroi fy meddwl i. Wnewch chi faddau i mi? Wnes i ddim trïo'ch brifo chi."

"Wnaethoch chi ddim," atebodd hithau.

Ni ddywedodd yr un o'r ddau air am beth amser.

"I ble'r ewch chi nawr?" gofynnodd Alun.

"I dŷ nain."

"A'r heddlu?"

"Be' am yr heddlu?"

"Wel, ydych chi'n mynd i ddweud wrthyn nhw?"

"Nag ydw," pendant.

"Ond Mari. . ."

"Wnaeth 'na ddim byd ddigwydd."

Naddo, meddyliodd Alun, dim llawer mwy na

ddigwyddodd fan yma.

"Wna i ddim d'eud," dywedodd Mari, fel pe bai'n gallu darllen ei feddwl.

"Dweud beth?"

"Am hyn."

"Diolch." Edrychodd Alun arni gan feddwl mor aeddfed oedd hi. "Mi a i â chi i dŷ'ch nain, os ydych chi'n barod i fynd."

"Ydw."

Wedi iddi ddweud wrtho ble i fynd, cychwynnodd Alun y car. Teimlodd ei hun yn dechrau crynu ac ni wyddai sut y llwyddai i yrru. Cyrhaeddodd o'r diwedd, wedi taith dawedog.

"Fyddwch chi'n iawn nawr?" gofynnodd iddi ar ôl stopio y tu allan i res o dai.

"Bydda'. Mi edrychith nain ar f'ôl i."

"O'r gorau."

Edrychodd arni eto ac ni wyddai beth i'w ddweud.

"Dyna ni, ta." meddai'n llipa.

"Ia."

"Mi wela i chi yn yr ysgol. Cymrwch ychydig ddyddia' i ffwrdd i fendio."

"O'r gorau. Hwyl rwan."

"Hwyl Mari."

"Diolch am y pas."

"Croeso."

Edrychodd arni'n straffaglio i fyny'r llwybr efo'r ces a theimlodd fel sgrechian crio. Sut y gallai fod wedi bod mor wirion, mor anghyfrifol? Ond gwyddai'n iawn. O'r diwedd yr oedd wedi cydnabod ei deimladau. Gallai'n hawdd iawn, iawn syrthio mewn cariad â Mari Watcyn.

Pennod 6

Edrychodd Mari ar y cloc. Ugain munud wedi deuddeg. Roedd ganddi ychydig dros awr cyn dal y bws.

"Ddarllenaist ti'r llythyr?" gofynnodd ei nain.

"Do," atebodd.

"Doedd ganddi hi ddim llawer i'w ddweud."

"Nag oedd. Fasa' hi ddim yn sgwennu o gwbwl, heblaw 'i bod hi'n gwybod cymaint dw i'n colli Sam."

"Na fasa', debyg." Synfyfyriodd ei nain am ychydig cyn mynd ymlaen.

"Mi fues inna' yn Lerpwl unwaith. Efo dy daid ar y trên. Alla i ddim cofio bellach pam aethon ni yno. Do'n i'n hitio fawr ddim ar y lle chwaith. . . Ma' nhw'n swnio fel eu bod nhw wedi setlo."

"Ydyn."

"Ond ma' ganddo fo ryw fath o berthnasa' yno, yn 'does."

"Oes."

Roedd Glenys Watcyn, Eddie a'r plant wedi symud i fyw i Lerpwl ers dros bythefnos. Roeddent yn byw mewn fflat yno ac Eddie'n prysur chwilio am waith yn ôl yr hyn ddywedai Glenys yn ei llythyr.

Gwelai Esther Watcyn yn awr fod yr holl drafferth efo Eddie, ac ymadawiad ei mam a'r plant, wedi effeithio mwy ar Mari nag y carai ei ddangos. Cofiai Esther y golwg ar ei hwyres pan gyrhaeddodd yno wedi i Eddie ymosod arni. Ymbiliodd hithau'n daer am gael galw'r heddlu ond gwrthododd Mari'n bendant. O weld poen Mari a sylweddoli na lwyddodd Eddie i wneud fawr niwed, cytunodd hithau. Ond nid anghofiai hi fyth hunllefau'r ferch a'i chrio wrth ei hochr yn y gwely y noson honno.

Ymwelodd Esther Watcyn â'i merch y diwrnod canlynol, ond i ddim diben. Ar Mari roedd y bai i gyd, yn ôl Glenys. Roedd hi wedi gofyn am y gân. Dyn gwan efo dyheadau fel pob dyn arall oedd Eddie druan; a ph'run bynnag, roedd Mari'n gwneud iddi hi deimlo'n hen ac yn busnesa efo magwraeth Sam. Byddai'n well i Mari fyw efo'i nain gan eu bod nhw'n awr am symud i Lerpwl. Onid oedd Esther Watcyn wedi bod yn crefu ar Mari i symud ati ers blynyddoedd?

Edrychodd ar Mari yn awr.

"Hitia befo. Efallai y cei di fynd i weld Sam yn ystod y gwyliau."

"Dw i ddim yn meddwl. Dim efo'r dyn 'na o gwmpas."

Roedd yn gas gan Esther Watcyn weld Mari fel hyn. Roedd hi'n dawedog iawn ac yn anhapus ers pythefnos. Tybiai'r hen wraig fod mwy y tu cefn i hyn nag ymosodiad Eddie ac ymadawiad y teulu. Roedd hi'n poeni amdani braidd.

"Faint o'r gloch wyt ti i fod i fynd i dŷ'r hogan bach 'na."

Ceisiai ei thynnu i hwyl.

"Erbyn dau. Mi ga' i fws am hanner awr wedi un."

"Maen nhw'n ffeind iawn yn gofyn i ti."

"Ydyn."

Teimlai Mari'n anniddig braidd ynglŷn â'r ffordd y teimlai ei nain am ei gwahoddiad hi i Caerau.

Gwelai Esther Watcyn hyn fel braint—ei hwyres wedi cael gwahoddiad i gartref Morgan-Puw. Roedd hi'n gas gan Mari yr ochr daeogaidd yma i'w chymeriad. Roedd hi cystal ag Elin bob dydd. Er hyn teimlai Mari yn falch o'r cyfeillgarwch a dyfai'n gryfach bob tro y gwelent ei gilydd. Doedd Mari ddim wedi egluro'r gwir reswm dros ymadawiad ei theulu, ac yr oedd hi wedi peidio ag ymarfer nofio a mynd i'r ysgol hyd nes y ciliodd y briwiau. Roedd hi wedi bod yn nerfus iawn o fynd i'r ysgol gan na wyddai sut i ymateb wrth weld Alun Parri. Ynghanol ei holl drybini, roedd ei gobeithion wedi eu codi pan afaelodd ynddi mor dyner, ond chwalwyd nhw'n syth pan ymddiheurodd mor daer. Roedd hi'n sicr erbyn hyn ei fod yn teimlo yr un fath amdani hithau ag y teimlai hi amdano ef.

Anfonodd amdani yn syth pan ddychwelodd i'r ysgol, i ymddiheuro eto ac i bwysleisio mor bwysig oedd cadw'r gyfrinach. Sicrhaodd hithau ef na ddywedai wrth neb. Ni feiddiai rannu ei phrofiad a chael pawb yn gwneud hwyl am ei phen ac ni feiddiai ddifetha ei yrfa yntau chwaith gan ei bod yn hollol ymwybodol o ganlyniadau ei weithred pe darganfyddai'r awdurdodau beth ddigwyddodd.

Cododd ar ei thraed.

"Wel mae hi'n well i mi fynd i newid. Byddai'n anghwrtais iawn ohona i i fod yn hwyr."

"O'r gora', mechan i," atebodd ei nain.

Byseddodd Denise y froits yn dyner cyn ei gosod ar ei blows. Morfarch ydoedd, wedi ei lunio o gerrig amryliw. Doedd neb wedi rhoi anrheg annisgwyl iddi hi ers blynyddoedd a chofiai yn awr y wên ar wyneb Tecwyn wrth edrych arni'n agor y bocs. Sylwodd ar ei llun yn y drych a sylweddolodd ei bod hithau'n gwenu wrth gofio'r achlysur. Noson bleserus ydoedd honno wythnos yn ôl. Aeth am bryd gyda Tecwyn fel yr oedd wedi addo. Aeth â hi i fistro bychan Ffrengig yn un o strydoedd ochr disylw y dref a chawsant bryd anffurfiol bendigedig. Doedd hi ddim wedi mwynhau ei hun cymaint ers amser maith. Buont yn sgwrsio'n hamddenol am oriau a châi ei hun yn dweud rhai pethau wrtho nad oedd hi ond wedi eu meddwl o'r blaen.

Cyfaddefodd ei bod yn amau bod rhyw berthynas rhwng Dafydd a Lisa a gwelodd Tecwyn fod hyn yn ei brifo i'r byw. Nid y syniad o Dafydd yn chwarae o gwmpas oedd yn ei brifo ond y ffaith mai Lisa oedd ei ffrind gorau. Gofynnodd i Tecwyn os oedd wedi synhwyro rhywbeth yn y parti. Atebodd yntau eu bod yn ymddangos yn glòs, ond ei bod yn anodd iddo ddweud dim ac yntau ond wedi eu gweld efo'i gilydd unwaith. Nid oedd am ddweud wrthi na welodd Colin arlliw ohonynt yn ystod prynhawniau siesta a nosweithiau tesog yn Sbaen.

Cymhellodd Tecwyn hi eto i adael Dafydd ac i ail afael yn ei gyrfa. Esgus Denise dros beidio â gwneud hynny oedd Elin, ond sylweddolodd Tecwyn mai ei diffyg hyder oedd y gwir reswm.

"Rwyt ti'n gwenu'n arw efo ti dy hun."

Doedd Denise ddim wedi sylweddoli fod Dafydd yn yr ystafell nes iddo siarad.

"Atgofion melys," atebodd hithau.

"O," meddai Dafydd gan godi'i aeliau. "Mae Lisa newydd ffonio i ddweud ei bod hi a Terry am alw'r prynhawn 'ma."

Surodd y wên ar wyneb Denise. Roedd hi wedi edrych ymlaen at ymweliad Mari, yn falch fod Elin wedi gwneud ffrind arall. Nawr byddai popeth wedi ei ddifetha.

Nid atebodd, ond wrth synhwyro'r newid ynddi dywedodd Dafydd, "Mi fydd yn braf eu gweld."

"Mi fyddi di wrth dy fodd," atebodd hithau'n chwyrn.

"A beth mae hyn'na i fod i'w feddwl?"

"Yn union beth ydw i'n ei ddweud. Rydw i wedi sylwi ar y ffordd rwyt ti'n gloywi pan mae *hi* o gwmpas."

"O *hi* ydy hi rwan, ia? Lisa oedd hi beth amser yn ôl, a Lisa annwyl os cofia i yn iawn."

"Roedd hynny cyn i mi weld trwyddi. A finna'n meddwl ei bod hi'n ffrind i mi."

Cerddodd Dafydd tuag ati.

"Be'n union wyt ti'n drio ei ddweud, Denise?"

Gafaelodd yn ei braich a'i gwasgu'n frwnt. Gwyrodd ei ben yn agos at ei hwyneb. "Meddwl fod 'na rywun arall yn cael rhywbeth nad wyt ti'n ei gael?"

Gwasgodd ei braich yn dynnach nes dod â dagrau i'w llygaid.

"Rhaid i ti beidio â gwneud cyhuddiadau na fedri di mo'u profi, cariad."

Gwasgodd ei braich am y trydydd tro, ac yna chwarddodd a'i gwthio oddi wrtho.

"Cofia di fod yn glên wrth ein gwesteion."

Trodd tuag ati wrth fynd trwy'r drws.

"A Denise, tynn y froits fach na oddi ar dy flows. Bydd pobl yn meddwl dy fod ti wedi agor cracyrs yn rhy fuan."

Caeodd y drws yn ddistaw ar ei ôl a chlywodd Denise ef yn chwerthin yn uchel wrth fynd i lawr y grisiau.

Stopiodd y bws gyferbyn â mynedfa.

"Dyna chi, cariad," meddai'r gyrrwr gan droi at Mari.

"Diolch yn fawr," atebodd hithau gan gamu allan.

Arhosodd nes oedd y bws wedi mynd yn ddigon pell cyn croesi. Roedd y gatiau mawr gwyn yn agored a disgleiriai'r plât aur gyda 'Caerau' wedi ei naddu arno yn yr haul. Dechreuodd Mari gerdded i fyny'r lôn. Roedd hi'n ddiwrnod arbennig o gynnes ddechrau Hydref a sylwodd Mari ar y blodau lliwgar a oedd yn dal o gwmpas. Ni allai weld y tŷ o gwbl gan fod coed rhododendron uchel bob ochr. Wrth gerdded ymlaen teimlai ychydig yn nerfus. Nid oedd hi wedi cyfarfod â thad Elin o gwbl ond yr oedd wedi clywed sôn amdano fel gŵr busnes llewyrchus.

Wrth iddi droi'r gornel daeth y tŷ i'r golwg ac arhosodd Mari'n syfrdan i edrych arno. Yr oedd yn anferth! Tŷ mawr gwyn yn ffenestri i gyd a'r rheini fel tlysau yn dal yr haul. Cerddodd ymlaen ac ymlaen ac ymhen rhyw bum munud cyrhaeddodd y tŷ.

Cyn iddi gael cyfle i gyrraedd y drws daeth gŵr tal pryd golau o ochr y tŷ.

"A chi ydy Mari, mae'n debyg," meddai gan edrych yn graff arni.

"Ie."

"Dafydd Morgan-Puw, tad Elin."

Estynnodd ei law i'w chyfarch gan afael am ei hysgwydd ar yr un pryd.

"Dewch i'r cefn. Yn yr ardd mae Elin."

Daliodd i afael amdani wrth ei thywys heibio i ochr y tŷ. Syfrdanwyd Mari unwaith eto wrth weld y lawntiau, y pwll nofio a'r cwrt tenis.

Roedd Elin yn eistedd ar wely haul o flaen drysau ffrengig a chododd yn syth pan welodd Mari.

"O, dyma ti wedi cyrraedd," meddai'n eithaf swil gan wrido wrth siarad. Deallodd Mari ar unwaith mai presenoldeb ei thad oedd yn gyfrifol am hyn a meddyliodd ei fod yn beth od iawn.

Gollyngodd Dafydd Morgan-Puw ei afael ynddi ac ymunodd hithau ag Elin.

"Fe a i â thi o gwmpas y tŷ a'r lawntiau," meddai Elin.

"Rwy'n siŵr y byddai Mari yn hoffi rhywbeth i'w yfed yn gyntaf, Elin, ar ôl ei thaith yma," meddai ei thad.

"Fe gawn ni rywbeth wedyn, ac efallai y bydd mam wedi dod i lawr y grisiau erbyn hynny."

Cerddodd y ddwy fraich ym mraich oddi wrtho.

Myfyriodd Dafydd uwchben y gwahaniaeth rhyngddynt wrth edrych arnynt yn ymadael. Yn anffodus, meddyliodd, ar ôl ei mam y tynnai Elin o ran edrychiad. Eithaf plaen y byddai pobl yn ei galw, mae'n debyg. Ond Mari. Wel, roedd Mari yn stori wahanol. Trawiadol fyddai'r gair i'w disgrifio. Teimlai Dafydd na fyddai'n gallu tynnu ei lygaid oddi arni pe bai'n ei chwmni. Ni wyddai ai ei gwallt, ei llygaid lliw emrallt neu ei chorff hardd aeddfed oedd y mwya' deniadol. Beth bynnag, roedd y cyfuniad o'r tri yn gwneud darlun perffaith.

"Ydi hi wedi cyrraedd?" torrodd Denise ar ei feddyliau.

"Ydy," atebodd gan droi i edrych arni. Sylwodd nad oedd hi wedi tynnu'r froits fel y dywedodd wrthi.

"Ro'n i'n meddwl mod i'n clywed lleisiau."

"Wedi mynd â hi o gwmpas mae Elin."

"Mae'n well i mi fynd i drefnu diodydd oer i bawb felly, erbyn y dôn' nhw'n ôl."

"O'r gorau."

Gosododd Dafydd y cadeiriau haul o gwmpas y bwrdd ac fel yr oedd yn gorffen daeth Elin a Mari yn ôl.

"Wel, beth ydych chi'n feddwl o Caerau, Mari?" gofynnodd.

"Lle braf iawn, Mr Morgan-Puw."
Chwarddodd Dafydd yn falch.
"Dewch, eisteddwch. Elin, mae dy fam wedi mynd i nôl diod i ni. Dos i'w helpu i'w cario allan."
"O'r gorau. Fydda i ddim yn hir, Mari."
Edrychodd Dafydd ar Mari am ychydig eiliadau cyn bwrw yn ei flaen efo'r sgwrs.
"Efo'ch nain dych chi'n byw meddai Elin?"
"Ia."
"Eich teulu wedi mynd i ffwrdd i Lerpwl."
Gosodiad nid cwestiwn.
"A pham nad aethoch chi?"
Teimlai Mari yn annifyr iawn wrth glywed ei gwestiynau uniongyrchol a'r ffordd yr edrychai arni.
"Eisiau gorffen yr ysgol yma," atebodd hithau'n swta.
Daeth rhyddhad drosti o weld Elin a'i mam yn dychwelyd.
"Mari! Neis y'ch gweld chi eto!" meddai Denise yn syth wrth ei gweld.
"Dewch, helpwch eich hun i wydraid o lemonêd cartref. A chymrwch ychydig o'r bisgedi 'ma hefyd. Mi ffeindioch chi ni yn iawn?"
"Do, diolch. Mi stopiodd y bws reit wrth ymyl y giât."
"O, da iawn."
"Elin. Rwy'n siwr ei bod hi'n ddigon cynnes i ti a Mari nofio yn y pwll y pnawn 'ma," awgrymodd Dafydd.
"Mi fyddai hynny'n grêt!" meddai Elin. "Fyddet ti'n hoffi hynny, Mari?"
"Baswn wir, os oes gen ti wisg nofio i'w benthyg i mi."
"Oes, wrth gwrs. Beth am fynd i newid nawr?"

"Syniad da," meddai Denise, "rhag ofn iddi oeri."

Ymadawodd y ddwy ac eisteddodd Dafydd a Denise yn fud.

Ymhen ychydig funudau clywsant sŵn traed yn dod ar draws y patio. Trodd y ddau i edrych. Roedd Dafydd ar ei draed ymhen eiliad.

"Lisa. Terry. Sut ydych chi?"

Cerddodd atynt gan roi cusan i'r ddwy yn eu tro. Parhaodd Denise i eistedd.

"Eisteddwch wrth y bwrdd," meddai Dafydd, "er mwyn i chi gael diod. Rwy'n siŵr y cymrwch chi rywbeth cryfach na lemonêd. Mi a' i i nôl gwydraid i chi nawr."

Edrychodd Denise ar hyn i gyd heb ddweud gair. Roedd Dafydd yn chwarae rhan y gwesteiwr perffaith.

"Terry," meddai Denise o'r diwedd, wedi i'r ddwy eistedd i lawr, "mae'n braf cwrdd â thi eto."

Edrychodd ar Lisa ond ni chyfarchodd hi.

'Mae hi'n gwybod. O Dduw mawr, mae hi'n gwybod!' meddyliodd Lisa a theimlodd ryw banig yn dod drosti.

Daliodd Denise i edrych arni. . . nid edrych arni chwaith, ond edrych trwyddi hi. Trodd yn sydyn at Terry.

Roedd Terry yn wahanol iawn i Lisa. Tal iawn a thenau gyda gwallt hir melyn naturiol. Hawdd gweld y fodel ynddi hi o hyd.

"A sut mae'r ysgol fodelu yn datblygu?" holodd Denise.

"Arbennig o dda ar hyn o bryd," atebodd Terry. "Mae gen i ryw ddeg o enethod ar y funud ond yn dal i gyfweld rhai eraill."

Roedd Terry wedi penderfynu agor ysgol fodelu

wedi hir bendroni ar ôl ei hysgariad.

"Rwyt ti'n brysur, felly?"

"O ydw. Prysur iawn. Faswn i ddim wedi dod yma y pnawn yma heblaw bod Lisa wedi pwyso arna i. . ."

"Mae hi'n gweithio'n rhy galed, Denise," torrodd Lisa ar ei thraws.

"Wel, fel na mae sefydlu busnes, yntê Terry?" ymatebodd Denise. "Mi ddylet ti wybod hynny bellach Lisa, o brofiad y Bistro."

Ni atebodd Lisa ac erbyn hyn roedd Dafydd wedi dychwelyd efo'r diodydd.

"Wel, iechyd da, ferched," meddai Dafydd.

"Ie, ac i'r dyfodol," ymatebodd Terry.

Sylwodd Lisa nad ymunodd Denise yn y llwnc destun.

Clywsant sŵn chwerthin a rhialtwch yn dod o'r tŷ a chamodd Elin a Mari allan drwy ddrysau Ffrengig y lolfa. Roedd y ddwy yn awr mewn gwisg nofio.

"Peidiwch ag aros i mewn yn rhy hir," meddai Denise, "rhag ofn i chi ddal annwyd."

"O'r gorau," meddai'r ddwy ar unwaith gan wibio ar draws yr ardd.

"Pwy ydy'r ferch 'na efo Elin?" gofynnodd Terry, a rhyw olwg ryfedd ar ei hwyneb.

"Ffrind newydd iddi hi," atebodd Denise. "Maen nhw'n nofio efo'i gilydd yn y tîm. Mae hi'n ferch neis iawn."

"Ydy," cytunodd Dafydd, "er ei bod yn dod o deulu digon di-nod."

"Ond mae ynddi ddeunydd model berffaith!" ebychodd Terry, erbyn hyn wedi cynhyrfu'n lân.

"Wyt ti'n meddwl?" holodd Lisa.

"O ydw. Yn berffaith sicr. Edrychwch ar y corff 'na a'r gwallt, yn enw'r Nefoedd."

"Aros i ti weld ei llygaid hi," ychwanegodd

Dafydd.

"Ydych chi'n meddwl y byddai ganddi hi ddiddordeb?" gofynnodd Terry yn obeithiol.

"Wn i ddim," atebodd Denise. "Chlywais i erioed mohoni'n sôn am ei chynlluniau. Does dim llawer o amser er pan ddaeth Elin i'w hadnabod."

"A beth bynnag," meddai Dafydd, "fel y galla i weld, does dim llawer o gyfoeth y tu cefn iddi hi."

"O fyddai hynny'n ddim problem," meddai Terry. "Fe fyddwn i'n sicr o ffeindio noddwr. Mae gwell deunydd ynddi hi nag yn amryw o'r modelau newydd welais i yn y sioe yn Llundain yr wythnos diwethaf. Byddet ti'n cytuno â mi, Lisa, petaet ti wedi dod efo mi. Meddyliwch," meddai gan droi at Dafydd a Denise, "gwrthod ychydig ddyddiau yn Llundain ynghanol moethusrwydd byd ffasiwn, er mwyn mynd i gynhadledd ddiflas mewn gwesty ynghanol y wlad!"

Chwarddodd Terry yn gellweirus.

"Mae hyn'na yn swnio'n hollol wahanol i ti, Lisa." meddai Denise yn araf gan ychwanegu, "mi fu Dafydd i ffwrdd yr wythnos diwethaf hefyd. Mewn cynhadlaedd."

"Wel wir," meddai Terry yn ddiniwed, "pe bawn i'n gwybod, mi fyddet ti wedi cael ymuno â mi, Denise, a gadael y ddau yma i gynadledda!"

"Ie," atebodd Denise, "mae Dafydd a Lisa yn arbenigo mewn sothach o'r fath."

Ni ddywedodd yr un o'r ddau air a disgynnodd distawrwydd dros y cwmni, pawb yn edrych ar olygfa'r ardd a phob un ohonynt ynghlwm wrth eu meddyliau.

Roedd gwallt Bethan yn dal yn wlyb pan ddaeth hi o'r ystafelloedd newid. Gwelodd Alun yn aros amdani yn y cyntedd.

"Doedd y sychwr gwallt ddim yn gweithio," dywedodd Bethan wrth ei weld yn edrych arni.

"Mi awn ni am baned i'r ffreutur, felly," meddai Alun, "i dy wallt di gael sychu rhyw ychydig. Dw i ddim am i ti ddal annwyd."

"Wel, sôn am hen ffasiwn!" chwarddodd Bethan yn uchel, ond yn falch iawn ei fod yn boenus yn ei chylch.

Wedi iddynt brynu paned eisteddasant wrth y ffenestr yn edrych i lawr ar y neuadd chwaraeon. Roedd tair gêm badminton ar ganol eu chwarae a grŵp cadw'n heini ym mhen pella'r neuadd.

"Fwynheuaist ti'r gêm?" gofynnodd Alun.

"Do'n wir. Ond dw i'n meddwl y cawn ni gêm o sboncen y tro nesa' "

"Pam felly?"

"Mwy o waith chwysu ac felly'n llawer gwell i'r corff."

"O'r gorau, Miss!" meddai Alun yn gellweirus.

"Mi ro'n i'n hoffi dy rieni di'n fawr iawn, Alun," meddai Bethan gan newid ychydig ar y sgwrs. Teimlai Bethan ei bod wedi ei derbyn ganddynt yn enwedig o glywed mam Alun yn sôn am y dyfodol gan ei chynnwys hi yn y sgwrs.

"Mi wnaethon nhw i mi deimlo'n gartrefol iawn."

"O, mae'n dda gen i glywed," atebodd Alun. "Mi roedden nhwythau wedi mwynhau dy gwmni dithau, ac yn gobeithio gweld llawer mwy ohonot ti."

Wrth weld Alun yn syllu ar eneth wallt hir coch ar y cwrt badminton, atebodd Bethan yn ddistaw,

"Mae hynny'n dibynnu'n hollol arnat ti."

Wedi gorffen y gêm denis efo Denise cerddodd

Terry at y pwll lle roedd Elin a Mari yn dal i nofio'n hamddenol.

"Dywed wrthyn nhw am ddod allan nawr," galwodd Denise.

Tynnodd Terry ei hesgidiau ac eistedd ar ochr y pwll, ei thraed yn oeri yn y dŵr. Ymunodd y ddwy eneth â hi wedi ufuddhau i gyfarwyddiadau Denise. Edrychodd Terry ar Mari yn ei sychu ei hun.

"Ydych chi erioed wedi meddwl am fynd yn fodel?" gofynnodd.

Chwarddodd Mari yn uchel.

"Fi?" meddai, fel pe bai hi heb glywed yn iawn. Roedd hi'n gwybod ei bod yn ferch ddel, ddeniadol ond ni feddyliodd ei bod yn llawer gwahanol i'r mwyafrif o enethod ei hoed.

"Dw i o ddifrif," meddai Terry. "Beth ydych chi'n bwriadu ei wneud ar ôl gadael yr ysgol?"

"Wn i ddim. Dw i ddim wedi meddwl yn iawn."

"Ydych chi am fynd i goleg?"

"Na. Dw i ddim yn meddwl."

"Wel dyna chi 'ta. Gyrfa fel model."

Chwarddodd Mari unwaith eto fel pe bai'r wraig yn siarad drwy'i het. Wrth ddeall hyn ychwanegodd Terry,

"Model oeddwn i, Mari, a nawr mae gen i ysgol fodelu fy hunan. Dw i'n gwybod am beth ydw i'n siarad."

Gwridodd Mari ryw ychydig, "Na, dw i ddim yn meddwl."

"Ylwch. Ffeindiwch rywun i dynnu lluniau ohonoch chi. Rhywun eitha proffesiynol, a dewch â nhw efo chi ata i am gyfweliad. Anffurfiol fydd y cyfweliad. Dw i'n gwybod yn syth beth ydw i eisiau."

"A lle ydw i i fod i ffeindio tynnwr lluniau proffesiynol?'' gofynnodd Mari'n ffroenuchel. Roedd agwedd ffwrdd â hi Terry wedi ei gwylltio. "Efo nain ydw i'n byw a does ganddi hi ddim arian i'w sbario i'w gwario a'r luniau ffansi!''

Gwelodd Terry ei chamgymeriad.

"O'r gorau, Mari. Dewch draw i'r stiwdio ddydd Mawrth nesa a mi gaiff Arnold dynnu *shots* ohonoch chi. Rhowch eich cyfeiriad i mi cyn i chi ymadael a mi drefna i gar i'ch nôl am naw o'r gloch.''

Nid arhosodd am ateb. Cododd i fyny yn sydyn a throdd i gyfeiriad y tŷ.

Bu Denise yn eistedd am ychydig ar ôl y gêm denis yn disgwyl i Dafydd a Lisa ymuno â hi. Roedd Terry yn sgwrsio yn brysur efo'r genethod. O weld nad oedd golwg o neb, penderfynodd fynd i newid. Teimlai'r tŷ yn oer braf wrth iddi hi gamu o'r gwres. Roedd pob man yn ddistaw. Tynhâi cyhyrau ei choesau wrth iddi gerdded i fyny'r grisiau. Gwell fyddai iddi gael cawod i ymlacio. Byddai bob amser yn mwynhau gêm galed, yn fwy fyth heddiw gan ei bod wedi ennill.

Cerddodd yn hamddenol ar hyd y coridor wedi cyrraedd pen y grisiau. Pasiodd ystafell wely Elin cyn troi'r gornel tuag at ei hystafell hi a Dafydd. Roedd ystafell sbâr rhyngddynt a bu Mrs Williams yn ei pharatoi y bore hwnnw rhag ofn y dymunai Mari aros. Wrth weld y drws yn gil agored penderfynodd wneud yn siŵr fod popeth yn iawn.

Clywodd sŵn wrth iddi wthio'r drws yn ysgafn a chan fod y llenni ynghau roedd hi'n anodd iddi hi gynefino â'r lled-olau. Roedd hi wedi cyrraedd canol yr ystafell cyn sylweddoli fod rhywun yno yn barod. Edrychodd ar y cyrff ar y gwely. Gwelodd ffrog sidan ar y llawr a fflachiodd cadwyn aur ar ffêr yng ngolau'r haul a ddeuai drwy'r drws. Trodd y corff agosaf ati ei ben i edrych arni. Roedd golwg wedi dychryn ar wyneb Dafydd i ddechrau ac yna lledodd gwên fuddugoliaethus dros ei wep. Ni ddywedodd Lisa air, ond sylwodd Denise arni'n ceisio cuddio'i hwyneb y tu ôl i'w ysgwydd. Ddywedodd hithau yr un gair ychwaith ond sylweddolodd wrth droi i fynd oddi yno fod patrwm gweddill ei bywyd yn awr wedi ei ddewis iddi.

Pennod 7

Wythnos cyn y Nadolig. Fel arfer byddai Mari yn mwynhau yr amser yma o'r flwyddyn yn fawr, ond eleni ni allai fwrw i mewn i ysbryd yr Ŵyl. Roedd gormod o bethau yn gymysg yn ei meddwl. Roedd hiraeth arni am ei theulu—ar wahân i Eddie, wrth gwrs—er gwaethaf eu ffaeleddau. Collai y berthynas glòs a fu rhyngddi hi a'i mam dros yr amser y bu Eddie oddi cartref. Collai Sam. Collai ei fagu, ei ddandlwn, a'i bersonoliaeth bach hapus a chollai hefyd sŵn iach chwarae yr efeilliaid o gwmpas y lle. Byddai'n colli eu miri ar fore Nadolig eleni.

Roedd hi'n dal mewn penbleth ynglŷn â'i theimladau tuag at Alun Parri. Sylweddolai fod yna ryw fath o dynfa ynddynt tuag at ei gilydd ond gwyddai'n iawn na wnâi ef fyth gymryd y cam tuag at wireddu ei dymuniadau. Roedd y teimladau yma yn ei brifo, yn rhwygo ei thu mewn, ac ni allai eu rhannu â neb. Byddai Catrin yn siŵr o ddweud wrth bawb ac er mor glòs ei pherthynas ag Elin ni theimlai y byddai hi yn deall. Tybiai y byddai Elin yn ffieiddio tuag ati.

Ac yna roedd Terry a'i chynigion. Wedi iddi hi gael tynnu'r lluniau yn stiwdio'r ysgol fodelu a'u gweld mewn print, yr oedd Terry wedi gwirioni'n lân. *Totally photogenic* oedd union eiriau Arnold a bu yntau fel Terry yn pwyso arni i wneud gyrfa iddi hi ei hun yn y maes. Bu Terry yn ymweld â hi yn nhŷ ei nain i bwysleisio y byddai'r fenter yn un hollol gyfreithlon ac y byddai digonedd o waith iddi wedi gorffen ei hyfforddiant. Cytunodd Dafydd Morgan-Puw i'w noddi, felly ni fyddai arian yn broblem o gwbl. Roedd y fenter yn apelio'n fawr at Mari yn enwedig wedi iddi hi weld y lluniau a dynnodd Arnold ohoni, ac eto doedd hi ddim yn siŵr. Byddai'n rhaid iddi adael ei chynefin i fynd i'r ysgol fodelu ym Manceinion, gadael ei nain a'i chartref, gadael yr ysgol a'i ffrindiau a gadael Alun Parri. Ni allai oddef peidio â'i weld. Ond ar y llaw arall, efallai mai dyna'r ateb. Ni fuasent yn ddisgybl ac athro mwyach a byddai gobaith i'w perthynas. Byddai yn falch o allu gwneud penderfyniad.

Ar ddiwedd y wers Fathemateg aeth Mari at ddesg yr athro ifanc.

"Ydy hi'n bosib i mi gael gair hefo chi, Mr Parri?"

"Nawr, Mari?"

"Ia, os yn bosib."

"O'r gorau. Eisteddwch."

Cododd yntau i gau y drws, nid yn hollol glep ond yn gil agored. Dychwelodd i'w sedd. Gwelodd anrheg Nadolig bychan ar y ddesg mewn bocs hirsgwar. Disgleiriai'r papur llachar yn y golau. Edrychodd arni, y cwestiwn yn glir yn ei wyneb.

"Rhywbeth bach i chi. Am fod mor ffeind."

"Diolch, Mari. Doedd dim rhaid i chi."

"Mi rown i isio."

Rhoddodd y bocs papur sglein yn ei fag yn ofalus.

"Isio gofyn cyngor ydw i. Dw i'n dal mewn penbleth ynglŷn â'r modelu."

Roedd hi wedi crybwyll y peth wrtho o'r blaen, ond chymerodd ef fawr o sylw bryd hynny gan mai syniad yn unig ydoedd.

"O! Unrhyw ddatblygiad?"

"Oes. Mae Terry wedi bod acw, ac yn fodlon iawn ar y *shots*. Byddai Dafydd Morgan-Puw yn fy noddi."

"Mae hi am i chi fynd, felly."

"Ydy. Bron nad ydy hi'n troi fy mraich i."

"Pryd mae hi am i chi ddechrau?"

"Pryd bynnag y mynna i."

"A beth mae eich nain yn ei ddweud?"

"Mae hi'n fodlon derbyn fy mhenderfyniad i."

Edrychodd Alun Parri yn graff arni.

"Mi wyddoch chi, Mari, fod gennych chi'r ddawn i fynd ymlaen i wneud lefel 'A' ac i goleg."

"Gwn."

"Ydych chi isio hynny?"

"Wn i ddim. Beth bynnag, pe bawn i'n llwyddo yn fy modelu, byddai hynny'n talu'n well na'r un yrfa arall y byddai coleg yn ei chynnig i mi."

"Mae hynny'n wir, o bosib. Beth sy'n gwneud i chi oedi, felly?"

Gwridodd Mari ac edrychodd tua'r llawr cyn codi ei phen ac edrych i fyw ei lygaid.

"Y bobl faswn i'n eu colli."

Ni ddywedodd Alun air am ychydig ond deallodd yr hyn oedd yn ei meddwl. Gwelodd hithau ei fod wedi deall. Teimlai y tyndra rhyngddynt a bu ond y dim iddi afael yn ei law a oedd bellach wedi siapio'n ddwrn ar y ddesg. Ceisiodd ef ei orau glas i ddal gafael ar y sefyllfa.

"Wrth gwrs, mi fasech chi'n colli'ch nain a'ch ffrindiau."

Ni atebodd ac aeth yntau ymlaen.

"Ond does gennych chi ddim cariad, yn nag oes, Mari."

Pwysleisiodd bob gair yn ofalus.

Ceisiodd wneud hwyl o'r sefyllfa.

"Dim bachgen i grio ar eich ôl chi. A byddai'n

gyfle i chi wneud ffrindiau newydd.''

Yr oedd yn ymwybodol fod ei eiriau yn ei brifo, ei bod yn deall i raddau yr hyn yr oedd yn ei ddweud, ond beth arall fedrai ef wneud? Ni fedrai ymbilio arni fel y dymunai, *'O Mari, Mari, paid a mynd!'*

''Rhaid i chi wneud y penderfyniad, Mari. Cofiwch, os ydych chi'n dewis modelu, ei fod yn waith caled iawn.''

''Mi wn i. Mae Terry wedi egluro.''

Edrychodd y ddau ar ei gilydd â'r un peth yn gwibio drwy eu meddyliau.

Torrodd Alun ar y distawrwydd.

''Wel dyna ni 'ta, Mari. Dw i'n siwr y byddwch chi'n gwneud y penderfyniad iawn. Gadewch i mi wybod. Nadolig Llawen i chi, a diolch eto am yr anrheg.''

''Croeso. Diolch i chi am y sgwrs.''

Cododd Mari a cherdded o'r ystafell. Caeodd y drws yn ddistaw ar ei hôl.

Wedi cyrraedd gwaelod y grisiau, croesodd Dafydd at y bwrdd bychan lle'r oedd Mrs Williams wedi rhoi'r llythyrau a ddaethai drwy'r post yn bentwr taclus. Edrychodd drwy'r pentwr yn sydyn gan weld mai iddo fo yr oeddent i gyd. Gwyddai beth oedd y rhan fwyaf ohonynt wrth edrych ar yr amlenni; bil trydan, bil ffôn, catalog offer golff. Yna daeth at amlen hir wen, bwysig yr olwg. Roedd y llythrennau R.H.a P. wedi eu stampio'n gywrain ar ochr chwith yr amlen. Agorodd hon yn gyntaf. Ar ben y llythyr mewn llythrennau bras lliw aur roedd yr enwau Richards, Hughes a Pierce—Cyfreithwyr.

Wrth ddarllen y cynnwys yn frysiog teimlai ei hun yn cynddeiriogi. Feiddiai hi ddim, meddyliodd. Taflodd y gweddill o'r llythyrau ar y bwrdd a charlamodd yn ôl i fyny'r grisiau.

Roedd Denise yn gorffen brwsio'i gwallt pan ruthrodd Dafydd i mewn.

"Beth ydy ystyr peth fel hyn?" gofynnodd mewn llais uchel gan chwifio'r llythyr o flaen ei hwyneb.

Edrychodd hithau arno, gyda chasineb yn awr.

"Beth, Dafydd?" gofynnodd.

"Y llythyr 'ma gan dy gyfreithiwr."

"O, mi rwyt ti wedi'i dderbyn o, do? Wel, yn union beth mae o'n ei ddweud. Dw i'n cymryd dy fod di'n gallu darllen," atebodd hithau yn ddistaw.

"Chlywais i rioed ffasiwn beth. Ro'n i'n meddwl ein bod ni wedi cytuno."

"Cytuno?"

"Ia. Ti dd'wedodd nad oeddet ti eisiau trafod beth ddigwyddodd. Ro'n i'n meddwl dy fod di wedi anghofio."

"Wedi anghofio?" Edrychodd Denise arno, yn methu coelio'r hyn a glywai. "Anghofio gweld fy ngŵr yn y gwely efo fy ffrind gorau? Mi rwyt ti'n fwy o ffŵl nag a feddyliais i!"

Sylweddolodd Denise yn awr mor fychan oedd meddwl Dafydd ohoni. Yr oedd ef yn wirioneddol wedi disgwyl y byddai hi yn aros gydag ef wedi iddo ei bychanu mor ddifrifol. Ac yntau mae'n debyg, yn parhau ei berthynas â Lisa, yn cael y gorau o ddau fyd.

"Dwyt ti ddim o ddifrif yn disgwyl i mi fynd allan o'r tŷ 'ma heb feddwl ddwywaith, nag wyt ti?" gofynnodd Dafydd.

"Nac ydw. Mi dala i dy siâr di allan. Yr un rhan o dair sy'n ddyledus i ti. Diolch byth fod tada wedi bod yn ddigon call i wneud hynny'n amod yn y gweithredoedd, a fy mod innau—ein bod ninnau—wedi cytuno." Pwysleisiodd y gair *ninnau* o gofio pa mor awyddus yr oedd Dafydd wedi bod i gael y tŷ.

Fferrodd Dafydd wrth sylweddoli amodau y gweithredoedd. Ar y pryd doedden nhw ddim yn bwysig. Beth oedd yr ots mai dim ond un rhan o dair o'r eiddo a oedd yn ei enw ef, a'r ddwy ran arall yn enw ei wraig? Gŵr a gwraig oedden nhw a'u heiddo ynghlwm. Roedd rhyw fanylyn cyfreithiol fel yna'n mynd yn ddibwys wrth feddwl am y tŷ bendigedig yr oeddent wedi ei dderbyn yn anrheg. Ni feddyliodd y byddai Denise byth yn ei adael.

"A ble rydw i i fod i fynd?" gofynnodd Dafydd, yn dal yn methu credu'r hyn oedd yn digwydd.

"I ble bynnag mynnot ti," atebodd hithau. "Dw i'n siŵr fod gan Lisa gannoedd o syniadau. Mae ein priodas ni drosodd, Dafydd. Mi fydd rhaid i ti adael."

Ar hyn cerddodd Denise allan o'r ystafell wely ac i lawr y grisiau.

Eisteddodd Dafydd ar ochr y gwely, ei feddwl yn byrlymu o deimladau gwahanol. Ar ryw olwg yr oedd yn falch fod y cyfan wedi dirwyn i ben. Câi fod gyda Lisa yn awr. Byddai un rhan o dair o werth y tŷ yn swm eithaf sylweddol. Ar y llaw arall, byddai'n anodd ganddo adael y tŷ yma—yr oedd yn rhan fawr iawn o'r ddelwedd a greodd iddo ei hun.

"O wel, fel 'na mae bywyd," meddai yn uchel. Byddai'n rhaid iddo nawr feddwl am fywyd newydd efo Lisa. Yr oedd wedi cyfaddef wrtho'i hun yn barod ei fod yn ei charu. Y ferch gyntaf erioed iddo ei charu go iawn.

Wrth fynd i lawr y grisiau meddyliodd yn sydyn "Ysgwn i beth fydd ymateb Elin?"

Wyt ti'n meddwl y dylwn i roi mwy o'r tinsel 'na ar y rhan ucha'?" gofynnodd Bethan.

"Na. Mae hi'n edrych yn ddel iawn," atebodd Alun.

"Beth am ryw bêl neu ddwy arall ar y rhan isaf?"

"Ie, efallai. I gadw cydbwysedd."

"Llygaid Mathemategydd yn gweld yn bell."

"Ti ofynnodd."

"Ie. Dyna ni," meddai Bethan wrth gamu'n ôl oddi wrth y goeden Nadolig. "Be' wyt ti'n feddwl?"

"Hyfryd iawn."

"O! mi fydda i'n hoffi coeden go iawn. Rwy'n tyngu llw na wna i fyth brynu'r hen betha' cogio 'na. Coeden go iawn neu ddim."

"Ie."

Edrychodd Bethan ar Alun yn eistedd yn eitha diffrwt yn y gadair ond ni thynnodd sylw at hynny. Roedd naws y Nadolig wedi gafael ynddi ac wedi ei gadael mewn hwyliau da. Dechreuodd sgwrsio eto.

"Pan oeddwn i yn yr ysgol gynradd mi roedd gen i athrawes fendigedig o'r enw Mrs Jones. Roedd hi'n agos iawn at oed ymddeol bryd hynny. Mi roedd gen i feddwl y byd ohoni ac fel roedd hi'n digwydd bod, mi roedd ganddi hithau feddwl ohono' innau." Wrth ddweud y stori yr oedd Bethan yn mynd o gwmpas y goeden yn symud pelen neu strimyn o dinsel ac yn edrych arni'n feirniadol.

"Beth bynnag, roedd hi wedi bod yn brysur am rai wythnosau cyn y Dolig y tu ôl i ryw sgrîn fawr a ninnau'r plant bron â marw eisiau gwybod beth oedd hi'n ei wneud. Ryw wythnos cyn i ni gau, dywedodd wrth y dosbarth ei bod hi wedi gorffen y gwaith ac y bydden ni gyd yn cael mynd, fesul un, i weld beth oedd hi wedi ei wneud. Wyddost ti, mi ddewisodd hi fi i fynd yn gyntaf. Wna i fyth anghofio'r teimlad hwnnw o gael fy newis ganddi i gael mynd o flaen y lleill i gyd i weld beth oedd tu ôl i'r sgrîn. A wyddost ti beth, dw i ddim yn cofio'n hollol nawr beth oedd yna. Wedi gwneud llun coeden Dolig o bapur roedd hi ac wedi ei sticio ar y sgrîn a'i addurno, ond alla' i ddim yn fy myw ei weld yn fy meddwl. Y cwbl alla i ei weld ydy fi yn mynd hefo Mrs Jones y tu ôl i'r sgrîn. Rhyfedd, 'te?"

"Beth?"

"Sut mae pethau yn aros yn y cof."

"Ie. Rhyfedd iawn."

"Dw i'n edrych ymlaen at gael gweld dy rieni di eto," meddai Bethan. "Wyt ti'n siŵr nad ydy dy fam yn meindio fy nghael i acw dros yr Ŵyl?"

"Nag ydy siŵr iawn. Pan ddwedais i fod dy rieni di yn mynd i sgïo dros y Dolig, fynnai mam ddim meddwl am drefniadau eraill."

Chwarddodd Bethan wrth feddwl am Mrs Parri groesawus, wrth ei bodd yn cael tendiad ar bobl eraill.

"Un peth sy'n difetha Dolig," meddai Bethan, "ydy meddwl mynd yn ôl i weithio ar ôl y gwyliau."

"Rhaid i ti anghofio am hynny a gwneud yn fawr ohono," atebodd Alun.

"Beth bynnag," meddai Bethan, "mae'r gystadleuaeth nofio i edrych ymlaen ati yn y flwyddyn newydd. Ac os caiff Elin Morgan-Puw ei dewis i nofio dros Gymru bydd clod i'r ddwy athrawes sy wedi ei hyfforddi."

"Ydy hi mor dda â hynny?" gofynnodd Alun.

"Ydy, wir."

"Mae Tecwyn yn ffrindiau eithaf clòs efo'i mam hi," meddai Alun.

"O! felly," atebodd Bethan mewn llais awgrymog.

"Na, dim yn hollol. Ond o glywed yr hyn a ddywed Colin am ei gŵr hi, fuasai neb yn ei beio."

"Mae o'n dipyn o dderyn?"
"Ydy, a hefo'i ffrind gorau hi hefyd."
"Mae gen i biti dros Elin," meddai Bethan. "Mae hi'n ferch ddistaw iawn; er ei bod hi wedi tynnu allan ers iddi fod yn ffrindiau â Mari Watcyn. Cofia di, mi fyddai Mari Watcyn yn ddigon i dynnu unrhyw un allan o'i gragen."
Gwelodd Bethan ryw olwg anniddig ar wyneb Alun wrth iddi hi sôn am Mari.
"Rhaid dweud ei bod hi wedi tawelu ryw ychydig yr wythnosau diwethaf yma." Nid oedd Bethan am newid trywydd y sgwrs.
"Pwy?"
"Mari Watcyn."
"O! Ydy?"
"Dwyt ti ddim wedi sylwi?" gofynnodd Bethan."
"Naddo."
"Naddo debyg. Mi rwyt ti'r un mor dawedog dy hun."
"Be wyt ti'n feddwl?" Sylwodd Alun fod hwyliau da Bethan yn prysur ddirwyn i ben.
"Mi rwyt ti wedi bod â dy ben yn dy blu ers peth amser; ac i dd'eud y gwir, Alun, mi dw i'n dechra' cael llond bol."
Ni ddywedodd Alun air, dim ond edrych yn syth o'i flaen.
"Dwed i mi, Alun—oes a wnelo dy hwyl ddrwg di â Mari Watcyn?"
"Paid â rwdlan, wnei di!"
"Mi 'sa'n well gen i gael gwybod, Alun."
"Gwybod beth, yn enw'r Nefoedd?"
"Dy deimladau di tuag ati hi."
"Pa deimladau?"
"Wn i ddim, ond mi dw i'n siŵr weithiau eu bod yn fwy na theimladau athro at ddisgybl!"
Teimlai Alun fel pe bai mewn cornel. Clywai y

cyhuddiadau yn llais Bethan a byrlymai ei feddwl wrth geisio darganfod ffordd allan.

"Pe bawn i'n teimlo unrhyw beth amdani hi faswn i ddim yn gofyn i ti 'mhriodi i!"

Roedd y ddau yn syfrdan a sioc geiriau Alun wedi taro'r ddau ohonynt. Bethan oedd y gyntaf i ddod ati ei hun.

"O! Alun, Alun, wyt ti'n ei feddwl o?"

Sylweddolodd Alun beth a ddywedasai. Doedd dim troi'n ôl yn awr.

"Fydda i ddim yn dweud pethau nad ydw i'n eu meddwl."

Rhuthrodd Bethan tuag ato a'i gofleidio.

"O! Alun, dyma'r Dolig gorau eto. O bell ffordd."

Yn ffodus, ni allai Bethan weld yr olwg drist yn llygaid ei dyweddi pan ddywedodd yntau,

"Ond d'wyt ti ddim wedi ateb."

"O! gwnaf, Alun. Gwnaf. Gwnaf. Gwnaf."

Roedd Denise yn edrych ar gylchgrawn yn y lolfa. Doedd ganddi ddim diddordeb ynddo fwy nag oedd ganddi yn y Nadolig a oedd ond ychydig ddyddiau i ffwrdd. Roedd yr anrhegion wedi'u prynu, a'u pacio, y bwyd wedi ei drefnu a'r cwbl oedd ar ôl yn awr oedd prynu'r goeden a mwynhau. Elin a'i thad fyddai'n arfer mynd i nôl y goeden a'i haddurno ddydd cyn y Nadolig tra byddai Denise yn brysur yn y gegin. Byddai rhieni Dafydd yn bwrw'r Ŵyl gyda hwy hefyd. Anodd fyddai ymddwyn yn normal dros y ddau ddiwrnod. Roedd Denise wedi cytuno â Dafydd i beidio â dweud wrth neb o'r teulu tan ar ôl y Nadolig.

"Dw i'n gwybod 'i fod o'n mynd."

Dychrynodd Denise wrth glywed llais ei merch. Doedd hi ddim wedi ei chlywed yn dod i mewn.

"Pwy?" gofynnodd yn syth.

"Dad. Dw i'n gwybod 'i fod o'n gadael. Mi glywais i chi'n ffraeo, a mi welais i'r llythyr."

Gwyrodd Elin ei phen wrth gyfaddef ei bod hi'n gwybod yr hyn na ddylai. Doedd gan Denise ddim o'r nerth i geisio gwadu'r peth, a doedd dim pwynt.

"Tyrd i eistedd fan 'ma," ac amneidiodd tuag at ei hochr. Dewisodd Elin eistedd gyferbyn â'i mam. Roedd ei llygaid yn galed gan gasineb.

"Rhaid i ti ddeall ein bod ni wedi trïo, fy mod i wedi trïo'n galed iawn," meddai Denise. "Dydy o ddim yn gweithio, Elin. Mae dy dad a finnau yn anhapus, cariad. Trïa ddallt."

Ni ddywedodd Elin air o'i phen.

"Roedden ni'n caru'n gilydd—yn dal i garu'n gilydd mewn ffordd ond allwn ni ddim byw efo'n gilydd."

Gwingodd Denise y tu mewn wrth orfod dweud celwydd. Ni allai fychanu ei hun wrth ddweud y gwir, ei bod hi'n caru Dafydd ond heb dderbyn ei gariad yn ôl. Ni allai gyfaddef mai ei harian hi fu'r atyniad o'r dechrau.

"Mi ddoi di i ddeall, Elin. Mi fyddi di'n byw yma. Hefo fi. Mi gei di weld dy dad pryd bynnag mynni di."

"A Lisa?"

Gwelwodd Denise wrth glywed y geiriau. Bron na chlywai Elin ymateb ei mam.

"Be' wyt ti'n feddwl?"

"O! mi wn i am Lisa hefyd. Mi synnech pa mor denau ydy'r walia' pan 'dych chi'n trïo cysgu. 'Dych chi'n clywed pob gair drwyddyn nhw. At Lisa mae o'n mynd, 'te?"

"Wn i ddim. Wn i ddim."

Clywai Elin anobaith yn ei llais. Roedd popeth drosodd nawr, y smalio, y ffraeo a'r wylo. Roedd

Elin am frifo nawr, am dalu'n ôl am yr hyn yr oedd hi wedi ei ddioddef ers misoedd.

"A pham ddim, 'te. Mae Lisa yn ddel, yntydi. Mae Lisa yn siapus. Mae gan Lisa wallt bendigedig, dillad bendigedig, a mae Lisa yn caru dad, yntydi?"

Ar hyn trodd Elin oddi wrth Denise a rhedeg at y drws. Wrth geisio rhuthro drwyddo syrthiodd i'r llawr a dechrau beichio crio.

"A mi 'dw innau'n eich casáu chi. Y ddau ohonoch chi!"

Roedd Denise wrth ei hochr ymhen eiliad, yn ei chofleidio ac yn ei gwasgu ati. Roedd hithau'n crio yn awr. "O Elin, Elin, mi dw i'n dy garu di. Mae'r ddau ohonom ni'n dy garu di!"

Ar hyn cerddodd Dafydd Morgan-Puw i mewn i'r tŷ. Safodd am ennyd i wylio'r olygfa. Ond ni chymerodd arno eu gweld. Roedd y ddwy ohonynt yn rhy feddw gan dristwch i sylweddoli ei fod yno a cherddodd yntau i fyny'r grisiau mewn diflastod llwyr.

"Sut 'Ddolig gest ti?" gofynnodd Mari i Elin ar ei ffordd i'r gystadleuaeth nofio.

"Ddim yn dda iawn."

Roedd Mari wedi synhwyro fod rhywbeth o'i le ar Elin. Roedd hi'n dawedog iawn.

"O! Pam felly?"

"Mae dad yn ein gadael ni."

Doedd Mari ddim wedi disgwyl ateb o'r fath a doedd hi ddim yn gwybod beth i'w ddweud.

"Mae'n ddrwg gen i."

Eisteddodd y ddwy yng nghefn car Elizabeth Evans heb yngan gair.

"A thitha?" holodd Elin ymhen ychydig.

"Eitha. Mi drïodd nain wneud ei gorau. Mi gawson ni ginio da iawn; ond mi ro'n i'n colli miri'r plant, yn enwedig Sam. Mi ro'n i'n colli mam hefyd."

"Fel 'na y bydda i y flwyddyn nesaf."

Roedd y ddwy ohonynt yn sgwrsio'n dawel. Nid oeddent am i athrawes Elin glywed yr hyn oedd yn mynd ymlaen. Roedd Mari braidd yn siomedig nad oedd Bethan James wedi dod gyda nhw. Doedd hi ddim wedi dychwelyd adref ar ôl y Nadolig meddai Miss Evans.

"Ble byddi di'n byw nawr?" gofynnodd Mari.

"Gartre hefo mam," atebodd Elin "er y bydda i'n ddisgybl preswyl yn yr ysgol am flwyddyn."

"O! pam felly?"

"Mae mam am fynd yn ôl i weithio a mae'n rhaid iddi hi fynd i ffwrdd ar gwrs yn gynta."

Teimlai Mari dosturi mawr dros ei ffrind. Ei thad a'i mam yn ei gadael. Am y tro cyntaf gwelai debygrwydd rhyngddynt a'i gilydd.

"Dyma ni wedi cyrraedd," meddai Miss Evans. "Edrychwch, mae'r gweddill yma o'n blaenau ni."

Wedi parcio a dod allan o'r car aethant yn syth i'r 'stafelloedd newid.

Roedd pedwar tîm arall o wahanol rannau o Gymru yn cystadlu. Dechreuodd Mari deimlo ychydig yn nerfus. Roedd hi wedi bod yn iawn yn ystod y daith gan ei bod yn siarad ag Elin. Gwenodd ar ei ffrind wrth iddynt newid. Mewn dim amser roedd hi'n bryd i'r gystadleuaeth ddechrau. Mari oedd y gyntaf yn eu tîm nhw i nofio. Elin oedd yr olaf.

Clywodd Mari lais ar y meic yn dweud wrthynt am fynd i'w safleoedd ar gyfer y ras gyfnewid. Edrychodd Mari ar y ddwy ferch bob ochr iddi. Geneth fawr gref ar yr ochr dde ac un fechan eiddil ar y chwith.

"Safleoedd!" gwaeddodd y llais eto.

Gwnaeth Mari ei hun yn barod. Roedd ei choesau fel jeli. Daeth y panig mwyaf ofnadwy drosti. 'O! alla i byth nofio,' meddyliodd. Yna meddyliodd am y tîm, am Elin a'i gobeithion i gael ei dewis i nofio dros Gymru. 'O'r gora' Elin,' meddai wrthi ei hun, 'er dy fwyn di, er dy fwyn di.'

Taniwyd y gwn a phlymiodd y pum merch i'r pwll. Y funud y trawodd Mari y dŵr oer diflannodd ei holl amheuon. Roedd hi'n gwybod ei bod hi'n dda, ei bod hi'n gryf. Ymlaen â hi, ei choesau a'i breichiau yn cydweithio'n berffaith. Roedd y ferch fawr ar y dde iddi wedi disgyn yn ôl ond roedd y ferch ar y chwith ryw ychydig bach ar y blaen iddi. Cyraeddasant yr ochr draw a chollodd y ferch o'i blaen ychydig ar ei rhythm wrth droi. Mari oedd yn awr ar y blaen. Roedd hi'n ymwybodol o sŵn gweiddi wrth godi ei phen allan o'r dŵr. Roedd hi bron â chyrraedd y diwedd pan synhwyrodd fod y ferch eiddil wedi ei dal eto. Ceisiodd nofio'n gyflymach ond roedd hi'n dechrau blino. Roeddent yn gyfartal nawr. Gallai weld y diwedd. Cyrhaeddodd y ddwy yr un pryd.

Plymiodd aelod nesaf o dîm Mari i'r dŵr a dringodd hithau allan o'r pwll. Gwenodd ar y ferch wrth ei hymyl ac aeth i eistedd i'r ochr i gael ei gwynt ati. Llongyfarchwyd hi gan y ddwy arall cyn i'r aelod nesaf gymryd ei lle ar y bloc.

"Wyt ti'n nerfus?" gofynnodd i Elin.

"Dim nawr. Dw i ar dân isio mynd."

"Hwyl i ti."

"Diolch."

Roedd eu tîm nhw'n yn dal ar y blaen a dechreuodd Mari ac Elin fwrw i'r hwyl drwy ddechrau gweiddi ar Delyth. Cyrhaeddodd hithau'r diwedd yn gyntaf. I mewn â'r trydydd aelod. Nid oedd hi'n nofwraig mor gref â'r tair arall ac roedd hi'n colli tir o'r cychwyn. Gwasgodd Mari law Elin yn dynn cyn iddi hi fynd i'w safle. Roedd tri o'r timau eraill wedi gorffen y trydydd tro cyn i Elin gael dechrau.

"Tyrd 'mlaen, Elin!" gwaeddodd Mari wrth i'w ffrind ddeifio i'r dŵr. Dibynnai'r cyfan ar Elin yn awr. Gwyliai Mari hi'n symud drwy'r dŵr fel cyllell drwy fenyn. Roedd hi'n gyflym iawn ac yn dal y tair arall. Pasiodd ddwy ohonynt.

"E—lin! E—lin!" gwaeddai gweddill y tîm. Y tair ohonynt bellach yn neidio ac yn gweiddi ar yr ochr. Cyrhaeddodd yr ochr bellaf a gwnaeth dro bendigedig o lyfn. Edrychai'n gryfach yn awr. Daliai ar drywydd yr unig ferch o'i blaen ac edrychai fel pe bai'n dal i ennill tir. Roedd hi'n mynd i'w phasio! Oedd! Roedd hi yn ei phasio.

"Tyrd 'mlaen Elin! Rwyt ti bron yna!"

Ychydig lathenni eto. Roedd pawb ar eu traed erbyn hyn yn gweiddi. Roedd Mari a'r genethod eraill erbyn hyn yn beichio crio—nid yn unig oherwydd eu bod yn ennill ond mewn gorfoledd am berfformiad eu ffrind a'r hyn a olygai iddi. Trawodd Elin yr ochr i fonllef o gymeradwyaeth a bu ond y dim i Mari neidio i'r dŵr ati. Pan ddringodd hi allan fe'i cofleidiwyd gan y genethod eraill. Daeth Miss Evans atynt, yr un mor falch â hwythau.

Erbyn diwedd y cystadlu roeddent wedi tawelu ryw ychydig ond ni fyddai dim wedi chwalu'r wên oddi ar eu hwynebau. Galwyd am ddistawrwydd ar gyfer y gwobrwyo. Rhannwyd y gwobrau gan ddechrau efo'r trydydd tîm. Pan ddaeth tro tîm Mari dywedodd y cyflwynydd, cyn iddo rannu'r tarianau, fod ganddo wybodaeth bwysig.

"Fel canlyniad i'r gystadleuaeth yma heddiw, 'rwy'n falch cael cyhoeddi fod Elin Morgan-Puw wedi ei dewis i nofio dros Gymru yn y

Cystadlaethau Rhyngwladol."

Cyn iddo orffen yr hyn yr oedd yn ei ddweud roedd y gynulleidfa ar eu traed unwaith eto yn gweiddi a churo dwylo. Gafaelodd Mari yn dynn yn Elin.

"O! Elin, mi dw i mor falch!"

Ni allai Elin ddweud gair yn ôl. Rhythodd ar y gynulleidfa drwy'i dagrau ac yna fe'u gwelodd. Ei thad a'i mam yn eistedd mewn seddau hanner ffordd i fyny ochr dde rhan yr ymwelwyr. Teimlai mor falch eu bod yno.

Byseddodd Mari y darian wrth gerdded i fyny'r lôn. Yr oedd hi wedi blino yn awr ond yn edrych ymlaen at gael cyrraedd y tŷ i groeso cysurus ei nain. Byddai mor falch o gael adrodd am eu llwyddiant a dangos ei tharian.

Wrth fynd drwy'r giât synnodd weld cymaint o oleuadau yn disgleirio o ffenestri'r tŷ. Daeth Mrs Pritchard, cymdoges ei nain, i'w chyfarfod wrth iddi gerdded drwy'r drws. Synhwyrodd Mari fod rhywbeth o'i le.

"Beth sy'n bod?" gofynnodd.

"Dewch i eistedd, Mari," meddai Mrs Pritchard gan ei thywys i'r gegin.

Roedd Doctor Preis yn eistedd wrth y tân. Cododd pan welodd hi.

"Ydy nain yn sâl?" Rhuthrodd y geiriau allan. Daeth Doctor Preis ati a gafaelodd amdani.

"Mari fach, mi fu farw eich nain tua pedwar o'r gloch y pnawn 'ma."

Teimlodd ei choesau'n rhoi oddi tani a gafael Doctor Preis yn mynd yn dynnach. Amgylchynwyd hi â duwch llwyr.

Pennod 8

Disgynnai'r eira'n gyflymach yn awr, yn llawer mwy trwchus. Synnai Mari pa mor sydyn y gorchuddiwyd popeth. Mae'n debyg fod y bedd yn drwch erbyn hyn; petalau'r blodau yn drwm dan ei bwysau. Roedd hi wedi dechrau bwrw eira wrth iddynt gyrraedd y fynwent. Awyr ddu gymylog. Plu mawr gwyn yn disgyn ar bren coeth yr arch a hithau'n dyfalu pa mor hir a gymerai'r plât aur i ddiflannu o dan eu meddalwch. Doedd ond ychydig amser er pan fu hi'n byseddu'r plât, yn taenu ei bys dros yr enw cerfiedig 'Esther Mary Watcyn.' Doedd dim cymaint â hynny ers pan fu hi'n byseddu'r wyneb rhychiog, yn chwarae gêm ar lin ei nain, amlinellu ei llygaid, ei thrwyn a'i gwefus ac yna Esther Watcyn yn cymryd arni fwyta'r bys bach chwilfrydig. Byddai Mari'n chwerthin o waelod ei bol ac yna dechrau ar y gêm eto.

Daliai i fwrw eira. Yr oedd yn dechrau glynu ar wyneb y ffordd. Doedd hi ddim wedi gwneud llawer o eira yn ystod y dyddiau diwethaf, dim ond cawodydd yn awr ac yn y man. Clywai rai yn dweud ei bod yn eithaf drwg mewn rhannau eraill o'r wlad.

"Biti i'ch mam fethu dod efo'r tywydd," meddai Harriet Tŷ Pen. "Ydy'r trenau wedi stopio hefyd?"

Ni chofiai Mari yn awr beth oedd ei hateb sych ond gwyddai er yr hyn oll oedd wedi digwydd na fynnai Glenys Watcyn beidio â dod i angladd ei mam.

Cariai llais ei hewyrth Bryn i fyny'r grisiau. Gwyddai Mari mai trefnu ei dyfodol hi yr oedd gydag aelodau eraill o'r teulu. Roedd Mrs Pritchard, cymdoges ei nain, wedi dweud y câi aros efo hi tan ar ôl yr arholiadau ac yna byddai'n rhaid iddi hi fynd at ei mam.

'Byth', meddai Mari wrthi ei hun. 'Byth, bythoedd.'

Wrth edrych allan yn awr ar yr eira penderfynodd y byddai'n mynd i lawr y grisiau i ddweud wrthynt oll beth oedd hi'n fwriadu ei wneud. Mi gaent sioc o glywed nad oedd hi'n mynd i gyd-fynd â'r hyn yr oeddent wedi ei gynllunio ar ei chyfer.

Llais Bryn oedd i'w glywed gyntaf pan gerddodd Mari i lawr y grisiau. Meddyliodd Mari pa mor wahanol ydoedd i'w mam. Ni allai ddweud ei bod yn ei hoffi. Dipyn o snob fyddai hi yn ei alw, rhyw bwysigyn yn cymryd arno fod popeth yn drefnus a diogel yn ei ddwylo ef. Ni fyddai byth yn ymweld â'i fam heblaw am yr adegau hynny pan fyddai ef neu ei deulu'n elwa, fel adeg pen-blwydd neu 'Ddolig.

"O dyna ti, Mari!"

Cododd Bryn ar ei draed pan ddaeth Mari i mewn. "Wrthi'n dy drafod di roedden ni." Edrychodd ar y lleill wrth ddweud hyn ac edrychodd Mari arnynt hefyd. Cefndryd a chyfneitherod i'w mam na welai hi mohonynt ond ar achlysur priodas neu fedydd neu angladd. Un neu ddau ohonynt na welodd hi erioed o'r blaen. Pa hawl oedd gan y rhain i drafod ei dyfodol? Ffromodd Mari a gwasgodd ei dwylo'n ddyrnau rhag iddi wylltio.

"Meddwl oedden ni, beth fyddai'r peth gora' i'w wneud hefo ti 'nawr," ychwanegodd gwraig Bryn.

Teimlodd Mari fel darn o ddodrefnyn a safodd i fyny yn hollol syth i'w hwynebu, ei llygaid gwyrdd yn fflachio.

"Dw i wedi penderfynu fy hunan beth 'dw i am ei wneud, Yncl Bryn."

"O felly." Cilwenodd ef ar y lleill, cystal â dweud y byddai'n rhaid gwrando ar hon. Ei phlesio gan ei bod yn dal mewn sioc. "Beth?"

"Dw i ddim am sefyll f'arholiada'. Dw i am adael yr ysgol y Pasg."

Edrychodd pawb yn hurt arni.

"Gadael, Mari? A be' wedyn?"

"O mae gen i rywbeth i'w wneud. Mi dw i wedi cael lle yn ysgol fodelu Terry Harrington. Mae hi wedi bod ar f'ôl i ers wythnosa', eisiau i mi ddechra'n syth. Fydd dim rhaid i'r un ohonoch chi boeni amdana i. Mi roedd nain yn gwybod am hyn ac yn cytuno."

Ni soniodd air am ei mam.

"Mi fydda i yn un ar bymtheg yr wythnos nesa', felly o fewn oed gadael ysgol ar gyfer y Pasg."

Chwarddodd Bryn yn faleisus. Nid oedd yn hoffi gwrando ar bobl eraill yn lleisio barn neu syniadau gwahanol i'w rai ef.

"Ond, Mari fach, hawdd i ti freuddwydio. Mae rhywbeth fel ysgol fodelu yn costio arian i'w mynychu, ac heb fod yn gas—does gen ti ddim, yn nag oes? O! mae'n debyg y bydd dy nain wedi gadael rhywbeth bach i ti yn ei hewyllys ond fydd o ddim hanner digon. . ."

Torrodd Mari ar ei draws cyn iddo orffen.

"Does dim rhaid poeni. Mae gen i noddwr. Dafydd Morgan-Puw. Mi wyddoch amdano fo, debyg. Mae ganddo gwmni gwerthu tai yn y dre. Gallwch gysylltu hefo fo a hefo Mrs Harrington; mae'r cyfeiriadau gen i. Mi fydda i'n aros hefo Mrs Pritchard hyd nes y bydda i'n mynd i ffwrdd."

Ni ddywedodd yr un ohonynt air, dim ond edrych yn syn ar Mari.

"Ac yn awr," ychwanegodd "os gwnewch chi f'esgusodi i, mi dw i am fynd i orwedd am 'chydig. Mae hi wedi bod yn ddiwrnod hir."

A chyda'r geiriau yna trodd ar ei sawdl a'u gadael yn edrych yn syfrdan ar ei hôl.

"Ystafell 248, syr. Mae Madame wedi cyrraedd yn barod."

"O, da iawn."

"Os byddwch cystal ag arwyddo, syr." Trodd y *concièrge* y cofrestr tuag ato ac arwyddodd Dafydd.

"Diolch, Mr Morgan."

Ni ddefnyddiai Dafydd ei enw llawn, ond ni fynnai ddefnyddio enw neb arall chwaith.

"Mi alwa i ar y porthor i gario'ch bag i fyny."

"Diolch yn fawr."

Wrth deithio yn y lifft gwenodd Dafydd wrtho'i hun. Yr oedd wedi edrych ymlaen at y penwythnos yma ers rhai wythnosau. Cyfle i ymlacio yng nghwmni diddan Lisa, yn enwedig gan ei fod bellach wedi symud i mewn i'w fflat ei hun.

Cyrhaeddodd y lifft y pumed llawr a chamodd Dafydd ohoni. Roedd arwydd o'i flaen yn dangos fod ystafell 248 i'r dde a cherddodd Dafydd i lawr y coridor. Edrychai ar y rhifau ar y drysau wrth basio. '245, 246, 247,' rhifodd yn ei feddwl.

Curodd ar ddrws ystafell 248 a daeth llais o'r ochr arall.

"Dewch i mewn!"

Ufuddhaodd Dafydd. Roedd Lisa yn sefyll wrth y ffenestr a'i chefn at y drws.

"Rhowch o ar y bwrdd, os gwelwch yn dda."

"Be felly?" holodd Dafydd yn gellweirus.

Trodd Lisa yn syth.

"Dafydd! Ro'n i'n meddwl mai'r coffi oedd yna."

"Ac wyt ti wedi dy siomi?"

"O naddo, siŵr!"

Cerddodd yn frysiog tuag ato a'i gofleidio. Gafaelodd Dafydd ynddi a'i gwasgu'n dynn.

"O! Lisa fach, mi dw i wedi dy golli di."

"A finna' titha'." Gwasgodd Lisa yntau ac yna clywsant guro ar y drws.

"Y coffi!" meddai'r ddau ar unwaith.

Aeth Dafydd i agor a gwelodd forwyn yno efo'r coffi a'r porthor yn prysur ddilyn efo ces dillad Dafydd. Rhoddodd ef gil-dwrn i'r ddau cyn iddynt ymadael.

"Mi rwyt ti'n gweld mod i wedi archebu coffi i ddau. Ro'n i'n meddwl na faset ti'n hir cyn cyrraedd."

"Doeth iawn. Mi fydda i'n mwynhau paned o goffi ar ôl taith hir."

Eisteddodd y ddau wrth y bwrdd crwn yng nghornel y stafell. Edrychodd Dafydd o'i gwmpas. Roedd hon yn stafell foethus; stafell olau braf a'r lliwiau melyn a gwyrdd yn gwneud i rywun feddwl fod y Gwanwyn rownd y gornel. Yr oedd yn mwynhau mynychu'r gwesty yma. Dyma'r trydydd tro iddynt fod yno yn awr ac roedd Dafydd yn cael ei blesio bob tro. Gwasanaeth da a bwyd ardderchog. Syllodd ar Lisa yn awr heb ddweud gair. Mor lwcus oedd ef o berthynas mor agos a chlòs gyda hi. Roedd hi'n ddeniadol iawn, iawn ac yn gymeriad llawn hwyl a diddanwch. Teimlodd ryw gynhyrfiadau o gwmpas ei galon na theimlodd erioed o'r blaen a sylweddolodd unwaith eto ei fod yn ei charu. Erbyn hyn yr oedd yn wirioneddol falch ei fod wedi torri'n rhydd oddi wrth Denise a'i fywyd gwag. Edrychai ymlaen yn awr at y dyfodol, at fywyd newydd efo Lisa.

"A sut daith gest ti?" holodd Lisa.

"O! da iawn. Doedd y traffig ddim yn rhy drwm. A titha?"

"Eitha da. Ambell i glwt o rew ar y lonydd cefn. Ond mi ro'n i'n cymryd pwyll. Eisiau cyrraedd yma mewn un darn."

Edrychodd arno'n awgrymiadol.

"Ie, wir. Gan 'mod i wedi gwirioni ar bob rhan ohonot ti."

Chwarddodd Lisa fel ymateb.

"A be wnawn ni heno, 'te?" gofynnodd iddo.

"Wel, rhaid i mi gael cawod i ddechra' ac yna ymlacio ychydig cyn cael pryd o fwyd. Wedyn ymweliad â'r clwb nos efallai?"

"O'r gora'."

Cododd Dafydd a daliodd ei law allan tuag at Lisa.

"Tyrd yma," meddai'n dyner.

Cododd hithau a gafaelodd Dafydd ynddi yn dynn unwaith eto gan ei chusanu'n hir y tro hwn.

"O! Lisa, mae hi mor braf cael gafael ynot ti eto. Mae'r tro diwetha i'w weld mor bell yn ôl."

"*Mae* o ymhell yn ôl," atebodd hithau.

Tynnodd Dafydd yn ôl i edrych arni.

"Madda' i mi, cariad, am d'anwybyddu di yr wythnosa' dwytha. Ond mi wyddost fel mae petha' wedi bod. Gadael Caerau, symud i'r fflat, yr holl fanylon cyfreithiol a cheisio delio hefo Elin yr un pryd."

"Mi wn i, Dafydd. Doeddwn i ddim yn disgwyl dim gwahanol."

Arweiniodd ef i eistedd ar y *chaise longue* wrth draed y gwely.

"A sut mae petha' yn awr?" gofynnodd Lisa.

"O, gweddol! Mae Elin wedi symud i'r ysgol fel disgybl preswyl, gan fod Denise yn dechrau ar ei chwrs yn reit fuan. Dyw Elin ddim yn rhy hoff o'r un ohonon ni ar hyn o bryd. Teimlo mae hi bod y ddau ohonom yn ei gadael hi."

"A sut le ydy'r fflat?"

"O, eitha'. Dros dro, yntê. Cyn gynted ag y daw yr ysgariad ac y ca' i yr arian sy'n ddyledus o'r tŷ, mi bryna' i fflat mwy o lawer. Dw i'n siŵr y galla' i ffeindio rhywle eitha' moethus i ni mewn ardal braf."

Tynnodd Lisa ei llaw yn rhydd fel pe bai hi wedi ei llosgi.

"Be' ddwedest ti?" gofynnodd, a chlywodd Dafydd banig yn ei llais.

"O! Lisa annwyl," dechreuodd Dafydd yn gellweirus. "A ydw i'n cael cymaint o effaith arnat ti fel nad wyt ti'n gallu canolbwyntio ar yr hyn rydw i'n ei ddweud!"

"Paid â chellwair, Dafydd." Safodd Lisa ar ei thraed. "Be dd'wedest ti am y fflat?"

Gwenodd Dafydd eto, a'i hateb mewn llais chwarae bach gan bwysleisio pob gair. "Fflat newydd moethus i ni. Ti a fi, cariad."

Edrychodd Lisa arno mewn ofn. Yna gwnaeth ystum i edrych ar y nenfwd ac yna ar y llawr gan frathu ei gwefus uchaf.

"O! Dafydd, Dafydd," meddai mewn llwyr anobaith. "Mi rwyt ti wedi camddeall. . ."

"Tŷ wyt ti eisiau, nid fflat," meddai yntau ar ei thraws. "O'r gora, unrhyw beth i dy blesio di. Y cam nesa fydd i ti dorri'r newyddion i Howard ac yna gadael."

Dechreuodd Lisa wylltio yn awr wrth weld nad oedd Dafydd am wrando arni.

"Gadael Howard!"

Safodd Dafydd yn syfrdan wrth glywed y dinc newydd yn ei llais.

"Gadael Howard a'r Bistro? Ai dyna wyt ti am i mi ei wneud?" Chwarddodd Lisa yn goeglyd. "Gadael yr hawl i fynd a dod fel y mynna i? I wario fel y mynna i ac i weld pwy bynnag y mynna i? O na, Dafydd, nid er dy fwyn di na neb arall."

Roedd Lisa wedi cynhyrfu. Nid oedd hi'n disgwyl hyn o gwbl. Er bod Dafydd wedi symud allan o Caerau a hithau bellach wedi torri pob cysylltiad â Denise, roedd hi'n meddwl y byddai ef yn mwynhau bywyd y gŵr 'sengl' unwaith eto. Wedi'r cyfan, nid oedd Dafydd erioed wedi bod yn un i aros yn hir yn yr un *affair*. Edrychai ymlaen at gael gweld mwy ohono ond nid oedd hi'n barod am unrhyw ymrwymiad.

Safai Dafydd erbyn hyn ar ganol y llawr wedi llwyr newid ei ymarweddiad. Edrychai'n ffigwr truenus, wrth iddo sylweddoli yr hyn yr oedd hi'n ei ddweud.

"Ond mi dw i'n dy garu di, Lisa!"

"O! tyrd 'mlaen Dafydd. Mi dw i'n dy 'nabod di ers blynyddoedd. Gêm oedd hon i ti. Gêm rywiol i'r ddau ohonon ni ei mwynhau. Gêm wych tra parodd hi."

Eisteddodd Dafydd unwaith eto gan bwyso ei ben ar ei ddwylo.

"O! Lisa, mae'n rhaid i ti 'nghoelio i. Mae hyn yn wahanol. Mi rwyt *ti'n* wahanol."

"Ydw, Dafydd, yn wahanol iawn. Mae'n ddrwg gen i ond alla i ddim cyd-fynd â dy gynllunia' di. Mi rydan ni'n iawn fel rydan ni, yn cael amser da."

"Na, Lisa. Y cyfan neu dim o gwbwl."

Cerddodd Lisa ato a rhoddodd ei llaw ar ei ysgwydd.

"Rhaid i mi ffarwelio, felly. Mae'n ddrwg gen i, yn enwedig os teimli di mod i wedi difetha dy fywyd di, os gwnest ti hyn i gyd er fy mwyn i."

Nid atebodd Dafydd hi, ond parhaodd i edrych ar y llawr.

"Mi a' i rwan," meddai Lisa. Ni fynnai ychwanegu at ei sarhad drwy gynnig talu ei hanner hi o gostau'r penwythnos. Gafaelodd yn ei chôt a'i ches dillad nad oedd hi eto wedi'i ddadbacio. Wrth edrych ar Dafydd yn eistedd yno teimlodd emosiwn newydd tuag ato nad oedd hi erioed wedi'i deimlo o'r blaen. Trueni. Trueni dros ŵr a oedd wedi colli'r cyfan drwy chwarae gemau, a hynny heb sylweddoli nad yw'r enillydd yn dal ei dir bob amser.

Caeodd y drws ar ei hôl yn ysgafn a heb ddweud gair.

Cyfarfu Elin â Mari mewn caffi yn y dref. Roedd y ddwy ohonynt yn falch o weld ei gilydd unwaith eto.

"Roedd hi'n ddrwg iawn gen i glywed am dy nain," meddai Elin wedi iddynt eistedd.

"Diolch," atebodd Mari.

"Mi ro'n i wedi meddwl dod i dy weld, ond mi oedd petha'n eitha drwg acw."

"Mae o 'di mynd, felly?" gofynnodd Mari.

"Ydy. Ers rhai wythnosa'. Mae o'n byw mewn fflat rwan."

Ni feiddiai Mari ofyn os mai ei hun yr oedd Dafydd Morgan-Puw yn byw.

"Mae mam yn mynd fory."

"Wel sut mae petha' yn yr ysgol?" holodd Mari yn ffug hwyliog.

"O iawn. Gwell na feddyliais i. Mi dw i'n rhannu stafell efo dwy o enethod eraill. Angharad a Mair. Maen nhw'n glên iawn."

"O grêt. Rwyt ti'n gartrefol felly?" gofynnodd Mari.

"Ydw. Ond ma' gen i hiraeth yn barod." Gwridodd

wrth gyfaddef ei theimladau.

"Hidia befo," cysurodd Mari, "mi gei di fynd adra' at dy fam ar benwythnosa'," ychwanegodd yn ddistaw.

"Caf." Gwridodd Elin unwaith eto. "O Mari," meddai, "mae'n ddrwg gen i. Dyma fi mor hunanol, a titha. . ." Ni orffennodd y frawddeg.

"Heb neb." Gorffennodd Mari y frawddeg ei hun. "Ydw. Mi 'dw innau'n unig hefyd. Ond mi fydd gen i ddigon i'w wneud ymhen ychydig amser."

"Sut felly?" holodd Elin.

"Mi 'dw i'n gadael. Wedi derbyn cynnig Terry."

Agorodd llygaid Elin yn llydan wrth glywed y newyddion.

"Ond beth am dy arholiadau?" oedd y cyfan fedrai ei ddweud.

"Wfft i'r rheini! Mae'r cyfle yma'n rhy dda i'w golli. Does 'na ddim i 'nghadw i yma bellach. Ella bydd gwell cyfle i mi wedi gadael."

Teimlodd Elin fod a wnelo penderfyniad Mari â rhywbeth heblaw marwolaeth ei nain, ond ni holodd.

"Pryd ei di?"

"Mi ga' i adael Pasg."

Aeth Elin yn ddistaw am rai munudau.

"Dad fydd yn dy noddi di?" holodd wedyn.

"Ie." Ac yna deallodd Mari beth oedd y rheswm am ei distawrwydd. "Mi fedrwn ni gadw mewn cysylltiad."

Chwarddodd Mari yn gyfeillgar. "Mi fydd dy dad yn bendant o fod isio gweld canlyniadau ei wario, felly mi fyddi di'n siŵr o drip i'r ddinas fawr."

"Gobeithio, wir."

Gwasgodd Mari ei llaw yn dynn. "Mi dw i'n ffrind i ti, Elin."

Gwridodd Elin wrth deimlo gwres eu cyfeillgarwch ac edrychodd ar ei horiawr.

"Mae'n rhaid i mi fynd i ddal y bws nawr, Marî. Mae mam yn dod i ddweud ffarwel."

"O'r gora'. Wela' i di wythnos nesa?"

"Gweli, siŵr. Yma, yr un amser?"

"O'r gora' "

"Hwyl nawr a chymer ofal."

"A tithau. Hwyl."

Archebodd Mari baned arall o goffi. Doedd dim brys arni hi i fynd i unman.

Y bore wedyn roedd Denise wedi codi'n fuan ac yn barod ers rhai oriau. Doedd hi ddim wedi cysgu'n dda iawn. Roedd ffarwelio ag Elin wedi ei haflonyddu, er y byddai yn ei gweld ymhen pythefnos. Doedd hi ddim am ddod adref y penwythnos cyntaf er mwyn rhoi cyfle iddi ei hun ac i Elin setlo.

Roedd Mrs Williams wedi galw yn fuan i wneud yn siŵr o'r trefniadau. Byddai hi yn gofalu am y tŷ tra byddai Denise i ffwrdd. Galw yn ystod yr wythnos i agor y ffenestri ac ati a chael popeth yn barod ar gyfer y penwythnos.

Clywodd Denise y car yn cyrraedd cyn i Tecwyn ddod at y drws, ac yr oedd hi wrthi'n cloi, gyda'i bagiau wrth ei hochr, pan ddaeth o rownd y gornel.

"Wel, dyna beth ydy bod yn barod!" meddai Tecwyn wrth ei gweld.

"Does dim pwynt sefyll o gwmpas, yn nag oes?" atebodd hithau.

"Ydy popeth gen ti?"

"Ydy, gobeithio. O! Tecwyn, mi rwyt ti'n swnio fel tawn i'n mynd i ffwrdd am byth. Mi fydda i'n ôl ymhen pythefnos."

"Mae'n ddrwg gen i. Y peth arferol i ddweud, mae'n debyg." Nid atebodd Denise y tro yma. Sylweddolodd ei bod ychydig yn siort; ac roedd hi'n teimlo'n nerfus ac yn hollol ddihyder.

Rhoddodd Tecwyn ei bagiau yng nghefn y car ac yna eisteddodd wrth ei hochr yn barod i gychwyn. Roedd Denise wedi penderfynu peidio â mynd â'r car ar y dechrau nes iddi ymgyfarwyddo â'i ffordd o gwmpas.

Roedd y ddau ohonynt yn dawedog wrth i Tecwyn yrru i fyny'r ffordd o Caerau. Gwelodd Denise yn troi i edrych ar ei chartref sawl gwaith cyn iddo fynd o'r golwg. Gafaelodd Tecwyn yn ei llaw yn dyner.

"Fel y dwedest ti, mi fyddi di'n ôl ymhen pythefnos."

"Byddaf," atebodd hithau yn ddistaw, ond deallai Tecwyn ei gwir deimladau. Roedd heddiw'n ddiwrnod mawr iddi.

Diwedd ar ran fawr o'i bywyd a dechrau ar ran newydd eto. Teimlai Denise ei bod braidd yn hen i ymgymeryd â phethau o'r newydd, ond gwyddai yn ei chalon mai dyma oedd hi eisiau ei wneud. Byddai'n hapus yn ei gwaith a daeth gwefr gyfarwydd drosti wrth feddwl am yr hyn oedd o'i blaen.

Cyraeddasant yr orsaf mewn da bryd i gael paned cyn i'r trên ymadael.

"Mi fyddi di'n siŵr o gymryd gofal, yn byddi?" gofynnodd Tecwyn wedi iddynt eistedd.

"Byddaf, siŵr iawn." Gwenodd Denise wrth weld pryder ei ffrind.

"Ond 'dwyt ti ddim wedi. . ." Ni orffennodd Tecwyn y frawddeg.

"Ddim wedi arfer bod fy hun?" gofynnodd Denise. "Naddo, mi wn i, Tecwyn. Ond mae hi'n hen bryd i mi ddechra'. Mae'n rhaid i mi wneud bywyd newydd yn awr."

Adnabu Denise y teimlad yn ei lygaid.

"Mi rwyt ti'n gwybod y bydda' i yma i ti bob amser. Dim ond galwad ffôn i ffwrdd."

"Diolch, Tecwyn. Dwi'n falch o dy gyfeillgarwch di."

Sylweddolai Denise mor gryf oedd teimladau Tecwyn tuag ati. Roedd ganddi hithau feddwl mawr ohono yntau, ond ni fynnai ddilyn y trywydd hwnnw ar hyn o bryd. Roedd hi'n dal i frifo ac yn dal i hiraethu am Dafydd er gwaethaf yr hyn a ddigwyddodd. Gwelai Denise na fyddai Tecwyn yn cyfaddef ei deimladau nac yn disgwyl dim ganddi hi hyd nes y byddai hi'n barod; a mwy fyth oedd ei pharch tuag ato oherwydd hynny.

Gafaelodd Denise yn ei law unwaith eto.

"Mae hi'n bryd i mi fynd, Tecwyn."

"Ydy," atebodd yntau.

Cariodd Tecwyn ei bagiau i'r trên a'u rhoi'n ofalus rhwng y seddau y tu cefn iddi.

"Wel, dyna ni 'ta," meddai, heb wybod yn iawn beth i'w ddweud.

"Ia," atebodd hithau. "Diolch i ti am ddod â fi."

"Mi wnei di ffonio ar ôl cyrraedd?"

"Gwnaf, siŵr. Cymer di ofal ohonot dy hun."

"O'r gora. Mi fydda i'n dy golli di."

"A finna' tithau."

Clywsant y gard yn chwibanu.

"Gwell i ti fynd," meddai hi wrtho.

"Ydy."

Gafaelodd Tecwyn amdani hi a'i gwasgu yn dynn, dynn. "Hwyl, cariad. Edrych ar ôl dy hun."

Ceisiodd Denise beidio â chrio. Clywsant y drysau yn clepian ynghau ym mhen uchaf y trên.

"Mi wela i di ymhen pythefnos," meddai Denise.

Gollyngodd Tecwyn hi gan amneidio â'i ben. Ni allai ddweud gair.

Edrychodd Denise arno yn mynd drwy'r drws ac yna'n sefyll ar y platfform. Symudodd i'r sedd wrth y ffenestr. Pan gychwynnodd y trên agorodd y ffenestr i chwifio dwylo hyd nes iddo fynd o'r golwg. Daliodd i sefyll yno am rai munudau wedi gadael yr orsaf.

'Mi ddof yn ôl,' meddai wrthi ei hun â gwên ar ei hwyneb. 'Yn bendant, mi ddof yn ôl.'

"Wel, mi wyt ti'n gwybod sut i gadw cyfrinach."

"A ninna'n meddwl mai dim ond ffrindia' oeddech chi!"

Roedd y merched wedi ymgynnull o gwmpas Bethan. Pob un ohonynt yn gwirioni dros ei modrwy a'i newyddion.

"Dim rhyfedd i ti ddweud dy fod di wedi cael gwylia' Nadolig da!"

Edrychai Bethan yn orfoleddus, y gwrid yn ei hwyneb yn ei gwneud yn fwy deniadol fyth. Daeth rhai o'r dynion draw atynt. Roedd bron pawb wedi cyrraedd y stafell athrawon erbyn hyn.

"Roedden ni'n meddwl fod rhywbeth ar droed," heriodd un o'r dynion, "—'rhen Alun yn dawedog yn ddiweddar."

"Ceisio penderfynu os gallai o fforddio cadw gwraig!" meddai un arall.

Ar hyn cerddodd Alun Parri i mewn. Fe'i croesawyd â bonllef a rhuthr o bobl yn mynd ato i'w longyfarch. Doedd o ddim wedi disgwyl hyn a gallai deimlo ei hun yn gwrido ac yn cywilyddio braidd yn wyneb yr holl ffys. Sylwodd ar Bethan ynghanol y merched, ac wrth weld pa mor hapus yr edrychai ceisiodd fwrw i mewn i'r hwyl.

"A pryd mae'r diwrnod mawr, Alun?" gofynnodd un o'i gyd-weithwyr.

"O! mi adawa i hynny i'm darpar wraig," atebodd mor gellweirus ag y gallai.

Rhyw achlysur distaw oedd Alun wedi ei fwriadu ar gyfer eu dyweddïad. Ond ymddangosai fel pe bai pawb a phopeth wedi mynd yn wallgof. Pan aethant adref i ddangos y fodrwy i rieni Bethan, roedd parti mawr wedi ei drefnu a phan aeth adref at ei rieni ei hun teimlai fod pawb yn y pentref wedi cael gwybod. Daeth llu o bobl i'r tŷ â chardiau ac anrhegion a Bethan yn barod yn trafod ffrogiau priodas a morwynion gyda'i fam. Ac yn awr hyn. Syrcas yn ei wynebu fore cynta'r tymor.

Teimlai Alun fel dweud wrth bawb am aros yn eu hunfan, fod popeth yn symud yn rhy sydyn. Prin yr oedd wedi cael amser i feddwl am y busnes dyweddïo yma ers y noson honno yn fflat Bethan pan ofynnodd iddi ei briodi. Roedd ofn arno gyfaddef—wrtho'i hun hyd yn oed—ei fod wedi gwneud camgymeriad, ond wedi'r holl nosweithiau o droi a throsi a methu cysgu gwyddai yn ei galon ei fod wedi gwneud peth gwirion. Yr oedd yn hoff o Bethan, yn ei charu hyd yn oed, ond nid yn gyfangwbwl. Roedd rhan ohono yn perthyn i un arall er na fu perthynas rhyngddynt erioed. Rhywbeth a fyddai'n digwydd unwaith mewn oes oedd ei deimladau a'i ddyheadau tuag at Mari Watcyn a thra byddai'r rhain yn bod ni fyddai dyfodol gwerth sôn amdano iddo a'i ddyweddi.

"Mae'n ddrwg gen i am hyn, Alun." Nid oedd wedi sylweddoli fod Bethan yn sefyll yn ei ymyl.

"Mi welodd y genethod y fodrwy a. . . wel, fe elli di weld be' ddigwyddodd. D'wyt ti ddim yn flin, yn nag wyt?"

"Nag ydw, siŵr iawn. Dim ond wedi dychryn

braidd o weld y fath dderbyniad."

Canodd y gloch a dechreuodd pawb ymlwybro tuag at eu dosbarthiadau.

"Mi wela i di wedyn, Bethan," meddai Alun.

"O'r gora'. O, Alun!" galwodd ar ei ôl.

"Ie?"

"Mi ddwedodd un o'r genethod fod Mari Watcyn wedi colli ei nain. Rhag ofn dy fod ti'n ei dysgu hi heddiw. Efallai y bydd hi'n ddistaw."

"O, iawn. Diolch," atebodd Alun.

Ni allai Alun beidio â meddwl am Mari drwy'r amser cofrestru.Doedd ganddi hi neb yn awr. Teimlai fel galw amdani i gydymdeimlo â hi ac i ofyn os gallai o fod o unrhyw gymorth; ond sylweddolodd y byddai hynny'n beth peryglus i'w wneud.

Ni allai Bethan chwaith beidio â meddwl am Mari Watcyn. Roedd rhywbeth yn ei chymell i sôn amdani o hyd wrth Alun. Tybiai mai er mwyn gweld ei ymateb y gwnâi hynny. Gwyddai Bethan fod Alun yn ei charu hi ond sylweddolai hefyd fod ganddo ei deimladau tuag at Mari, er na chyfaddefodd hynny erioed. Pe bai o ond yn cael gwared o'r rhain, yna siawns na allen nhw fod yn gwbl hapus.

Cerddodd Bethan tuag at y gampfa a daeth Mari Watcyn i'w hwynebu.

"Mari, llongyfarchiadau ar y nofio! Mae'n ddrwg gen i nad oeddwn i yno. Dyletswyddau teuluol yn galw. Mi dd'wedodd Miss Evans eich bod chi wedi nofio'n ardderchog. Ddaru chi fwynhau'r gystadleuaeth?"

"Do, diolch." Doedd gan Mari ddim llawer o awydd am fân siarad.

"Mi rydych chi wedi colli'ch nain, yn do? Mae'n ddrwg gen i, Mari."

Ni ddywedodd yr eneth air a gwelodd Bethan fod

y golled yn un fawr.

"Beth wnewch chi rwan?"

"Mi dw i'n gadael yr ysgol y Pasg."

"O! 'Dych chi ddim am wneud arholiadau T.G.A.U?"

"Nag ydw."

"Ble'r ewch chi?"

"Mi dw i'n mynd i ffwrdd i weithio."

Doedd Bethan ddim am gymryd arni ei bod yn gwybod am yr ysgol fodelu a sylweddolodd nad oedd y ferch am ymhelaethu, ychwaith.

"Wel, pob lwc i chi. Ac wrth sôn am lwc, mae gen i newyddion i chi. Mae Mr Parri a minnau wedi dyweddio!"

Daliodd Bethan ei llaw allan ond ni chymerodd Mari unrhyw sylw o'r fodrwy. Teimlai Bethan yn hollol wirion ac ni allai ddeall ei gweithred blentynnaidd, dim ond ei bod eisiau profi rhywbeth i'r ferch yma.

"Mae'n rhaid i mi fynd rwan, Miss. Mi dw i'n hwyr i gofrestru."

Edrychodd Bethan arni hi'n mynd.

'Mi wnei di fodel fendigedig, Mari,' meddai wrthi ei hun. 'Mi fyddwn ni'n dy weld di mewn cylchgronau, ac yn clywed amdanat ar y cyfryngau. Fydda' i byth yn gallu dianc oddi wrthyt ti?'

Araf oedd cerddediad Bethan i'r gampfa, yr haul bellach wedi ei gipio oddi ar ei diwrnod disglair.

Cerddodd Mari oddi wrth ei hathrawes ac yn syth allan o'r ysgol. Ni welodd neb mohoni am weddill yr wythnos.

"Ac rydych chi'n berffaith siŵr mai dyna ydych chi eisiau ei wneud?"

"Ydw, syr."

Eisteddai Mari a'i hewyrth Bryn gyferbyn â'r

prifathro yn ei ystafell.
"Mae o'n waith caled. Ydych chi'n sylweddoli hynny?"
"Ydw, syr."
"Mae ei modryb a minnau wedi ceisio'i darbwyllo, Brifathro, ond yn ofer. Mae Mari yn bendant ei bod hi eisiau mynd i fodelu. Ond mae'n rhaid i mi gyfaddef, does dim ofn gwaith caled ar Mari," meddai Bryn.
"Yn burion. Mae ei hadroddiad ysgol wedi bod yn ardderchog bob blwyddyn. Dyna sy'n fy mhoeni i—y gwastraff. Nid 'mod i'n dilorni y proffesiwn, cofiwch; ond mi allai Mari fynd ymlaen i goleg."
Ni fedrai'r Prifathro weld ymhellach na chymwysterau academaidd a dechreuodd Mari anesmwytho yn ei sedd.
"Ac nid pawb sy'n llwyddo, cofiwch Mari." Edrychodd y Prifathro'n llym arni.
"Nid 'mod i'n ceisio torri'ch calon chi; ond rhyw broffesiwn od iawn ydy o."
Torrodd Bryn ar ei draws. "Mae gan Mrs Harrington ffydd mawr ynddi, fel y gwelwch oddi wrth ei llythyr, ac mae'r ffaith fod Mr Morgan-Puw am ei noddi yn dangos nad ar chwarae bach y mae hi'n cael ei hystyried."
"Wrth gwrs, wrth gwrs," atebodd y Prifathro.
Synnodd Mari wrth glywed ei hewythr yn ei hamddiffyn a dywedodd hithau, "Dyna be' rydw i am ei wneud, Syr, a byddai'n dda gen i pe baech chi'n caniatáu i mi adael ddiwedd y tymor."
"Heb anghofio'r ddau ddiwrnod yr wythnos o ryddhad o'r ysgol er mwyn dechrau ar y cwrs," meddai Bryn i atgoffa'r Prifathro.
"O, ie," atebodd yntau, "fel y soniodd Mrs Harrington yn ei llythyr." Darllenodd lythyr Terry unwaith yn rhagor ac yna edrychodd yn graff ar

Mari.
"O'r gorau, Mari Watcyn, fe gewch chi'ch dymuniad. Mi gewch chi ddechrau ar y ddau ddiwrnod yr wythnos nesa'. Dydd Iau a Dydd Gwener, ie?"
Amneidiodd Mari ei hateb.
Cododd y Prifathro ar ei draed, "Wel dyna ni, yntê. Pob hwyl i chi yn y dyfodol. Mi fydda i'n disgwyl i chi ddod â chlod i'r ysgol!"
Gwenodd Mari ond ni ddywedodd air.
"Diolch o galon, Brifathro," meddai Bryn. "Roedd hi'n bleser cwrdd â chi."
Edrychodd William Reese y Prifathro arnynt yn cerdded i lawr y coridor ac ysgwydodd ei ben cyn mynd yn ôl i'w swyddfa at y mynydd o waith papur a'i disgwyliai.
"Dyna ti 'ta Mari," meddai Bryn. "Mi a' i tua thre nawr. Fyddi di yn iawn?"
"Bydda', diolch," atebodd hithau.
"Yli. Tyrd i aros acw dros y penwythnos. Mi ddo' i i dy nôl di nos Wener."
"O na. . ." Ond cyn iddi hi gael gorffen ychwanegodd yntau,
"Plîs, Mari. Mi fyddwn ni'n falch o dy gael di."
"O, o'r gorau. Diolch unwaith eto."
"Hwyl fawr. Mi wela i di nos Wener."
Edrychodd Mari arno'n mynd i lawr y coridor gan feddwl fod gwaed yn dewach na dŵr wedi'r cwbl.

Roedd Alun yn falch o'r wers rydd yma i gael cyfle i farcio gwaith y pumed dosbarth. Roedd ganddo gryn dipyn i'w wneud efo nhw eto a hwythau mor agos at eu harholiadau.
Gwyddai ei bod yn sefyll yno cyn iddo godi ei ben,

rhyw synhwyro ei phresenoldeb.

"Ddylech chi ddim bod mewn gwers?"

"Dylwn, mae'n debyg. Ond does dim llawer o ots bellach." Roedd Bethan wedi dweud wrtho ei bod yn meddwl gadael ond ni chymrodd arno wybod hynny yn awr.

"'Ga' i'ch helpu chi?"

"Dod yma i'ch llongyfarch chi wnes i." Cerddodd Mari tuag ato nawr gan gau'r drws ar ei hôl. "Clywed ych bod chi wedi dyweddïo. Doedd gen i ddim arian i gael anrheg. Mae'n ddrwg gen i."

Roedd ei chymal olaf yn swnio fel pe bai'n cydymdeimlo ag ef, a gwridodd Alun.

Eisteddodd Mari gyferbyn ag ef a rhoddodd Alun ei feiro ar y ddesg.

"Mae gen inna' newyddion hefyd," meddai Mari, "er, mae'n debyg y'ch bod chi wedi clywed yn barod. Mi dw i'n gadael yr ysgol. Gadael yr ardal hefyd."

"Mari. . . Wyt ti'n gwneud y peth iawn?"

Dychrynodd Mari wrth glywed y newid yn ei lais, a hefyd y 'ti' anffurfiol. Ei thro hi oedd gwrido y tro hwn.

"Does 'na ddim i mi yma, nag oes? Dim rwan, beth bynnag."

"Mi roedd hi'n ddrwg iawn gen i glywed am dy nain. Mi wn i pa mor agos oeddet ti a hi."

Edrychodd Mari arno. Gwyddai'r ddau ohonynt nad marwolaeth ei nain oedd ar feddwl Mari.

"Mae'n debyg fod yn rhaid i ti edrych at y dyfodol, ond oes?" ychwanegodd Alun. "Ac fel y dywedaist ti, does dim dyfodol i ti yma, nag oes? Dim dyfodol fel wyt ti ei eisiau, beth bynnag. Mae amser a lle yn bwysig, Mari. Mae sefyllfaoedd yn llywio ein bywydau ni. . ."

"Diffyg sefyllfaoedd yn f'achos i, dw'i'n meddwl,"

torrodd hithau ar ei draws.

Synnodd Alun gymaint yr oedd hi wedi aeddfedu ers iddo ei gweld ddiwethaf, cyn y Nadolig. Ni allai ddweud gair ond roedd llawer y dymunai ei ddweud.

"D'ych chi ddim am geisio fy narbwyllo i, felly?"

"Does gen i ddim byd gwell i'w gynnig i ti."

Ni fynnai Alun feddwl am ei cholli ond ni allai ei pherswadio i aros: byddai yn ei brifo yn waeth drwy wneud hynny.

"Welwch chi ddim llawer ohona i ar ôl heddiw. Mi dw i'n cael fy rhyddhau o'r ysgol ddau ddiwrnod yr wythnos i ddechra' ar y cwrs, a wna' i ddim ymdrech arbennig i fynychu y diwrnoda' eraill."

Clywai Alun gryndod yn ei llais a chododd i sefyll wrth ei hochr. Byddai'n rhoi y byd am wybod beth i'w ddweud. Gafaelodd yn ei llaw ac edrychodd hithau arno eto.

"Mae'n ddrwg gen i, Mari."

Nid atebodd. Doedd yna ddim byd i'w ddweud. Teimlai Mari fel ei ysgwyd a gweiddi arno i roi'r gorau i'r ffars yma; i gyfaddef ei deimladau ac i fynd at Bethan James a rhwygo ei fodrwy oddi ar ei bys. Ond allai hi ddim. Synhwyro ei deimladau yr oedd hi; doedd ganddi hi ddim prawf.

"Roeddwn i eisiau dweud ffarwel. Mi fydd na ormod o blant o gwmpas y diwrnod ola'," meddai Mari.

"Bydd."

"Mi a' i rwan 'ta, a'ch gadael chi i farcio."

Tynhaodd ei law am ei llaw hi.

"O'r gorau," atebodd.

Daliodd i afael yn ei llaw ac ni fynnai hithau ei thynnu oddi wrtho.

"Efallai mai mewn print y gwela' i sôn amdanat

ti eto.'' Ceisiodd Alun ysgafnhau'r funud.

Gwenodd hithau. ''Ie. Efallai.''

''Mi wnei di fodel wych.''

''Gobeithio.''

Gwasgodd Mari ei law, cyn troi i ffwrdd. Cerddodd oddi wrtho yn araf ac yna trodd i'w wynebu.

''Mi anfona' i lun atat ti.''

Trawyd Alun gan yr ysgafnder sydyn.

''Wedi'r cwbl, fydda' i ddim yn ddisgybl mwyach.''

''Na fyddi. Pob lwc i ti.''

Gwenodd arno, ei llygaid yn ddisglair a'i gwallt coch tonnog yn byrlymu dros ei hysgwyddau. Caeodd y drws yn ysgafn ar ei hôl.

Eisteddodd Alun Parri yn segur am rai munudau wedi iddi fynd. Tywynnai'r haul drwy'r ffenestr ar y ddesg ac ar y llyfr y bu Alun yn ei farcio. Caeodd y llyfr a'i roi ar ben y pentwr yr oedd eisoes wedi eu marcio. Byddai'n gorffen y gweddill yn nes ymlaen. Teimlodd yr haul yn gynnes ar ei war a gwenodd wrtho'i hun. Wrth feddwl am eiriau Mari daeth ryw ryddhad drosto. Sylweddolodd yn awr y byddai'n rhaid iddo dorri ei ddyweddïad â Bethan. Ni wyddai yn iawn sut i wneud hynny, ac yn sicr ni fyddai yn hawdd; ond fe gâi nerth o rywle.

Cerddodd Mari allan or ysgol yn ysgafnach ei cham nag y bu ers tro. 'Yfory. . .'meddyliodd, 'yfory, mi fydd pethau'n wahanol. . .' Gwelai'r cyfan yn disgyn i'w le yn ei meddwl. Yr oedd rhywbeth yn Alun—rhyw oleuni newydd yn ei lygaid, rhyw newid bach yn ei osgo, rhyw addewid yn ei lais wrth iddynt ffarwelio—a'i hargyhoeddai y deuai popeth yn iawn gydag amser.

Roedd drws ei hyfory wedi ei agor iddi a hithau'n barod i gamu'n hyderus drwyddo. . .